●这条黑色的"深海恶魔"彰显了鱼的神秘。虽然看起来像是海底的巨型怪兽，深海鮟鱇却不足20厘米。对于不谙世事的"猎物"来说，鮟鱇会发光的小灯笼极具诱惑力。（摄影 ©David Shale/Minden Pictures）。

●愉悦感能够激发有益的行为。目前科学家尚不清楚蝠鲼为何会跃出水面，但它们似乎乐在其中。图片摄于墨西哥瓦哈卡州。（摄影 Aaron Goulding Photography）

●一条粉色的海葵鱼缩在自己选定的海葵中，凝视着面前的摄影师。（摄影 © Mary P. O'Malley）

●鱼没有双手，因此能够使用的工具有限。图中，生活在大堡礁的邵氏猪齿鱼正准备在岩石上摔开蛤蜊。（摄影 Scott Gardner）

●日本南部沿海的小型雄性四齿鲀会花费数小时时间打造这种圆形的巢穴。我们能在图案中心位置的左上方看到这条小鱼。（摄影 © Yogi Okata/Minden Pictures）

●在确认周围环境安全后，一条生活在马拉维湖的雌性丽鱼放出了自己口孵的幼鱼。（摄影 ©Georgette Douwma/Minden Pictures）

●条斑胡椒鲷张大了嘴，好让裂唇鱼仔细检查并清洁。（摄影 ©Fred Bavendam/Minden Pictures）

●掠食性的石斑鱼会利用身体动作或信号，邀请海鳝合作捕猎。图片摄于地中海。（摄影 ©Reinhard Dirscherl/Minden Pictures）

●很多鱼会在交配之前向对方大献殷勤。图中，两条生活在加勒比海的美丽低纹鮨"性"致正浓。（摄影 ©Alex Mustard/Minden Pictures）

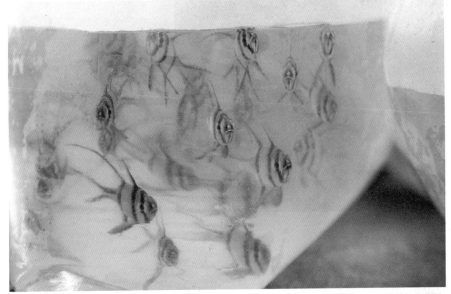

●经常出现在水族馆中的天竺鲷已濒临灭绝。图中的天竺鲷正等待着被装载，从印度尼西亚运往美国及欧洲。（摄影 ©Nicolas Cegalerba/Minden Pictures）

●莫桑比克一条半工业的捕虾拖网渔船上捕捞上来的虾，以及包括许多幼鱼在内的副渔获物。（摄影 ©Jeff Rotman/Minden Pictures）

●大多数鱼，比如这条生活在印度尼西亚四王群岛开阔水域中的静拟花鮨——的可见光谱范围都比人类要广。（摄影 ©NPL/Minden Pictures）

●很多鱼都能认出彼此。安汶雀鲷能通过仅在紫外光谱下可见的面部图案认出同伴。两张图片中的其实是同一条鱼，右侧是这条雀鲷在紫外光谱下的模样。（摄影 Ulrike Siebeck, University of Queensland）

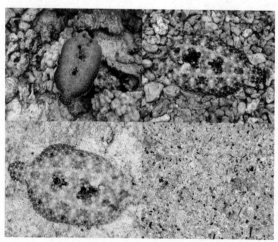

●一条凹吻鲆展示了自己高超的伪装技巧。四张照片中是同一条凹吻鲆，拍摄时间间隔了几分钟。在最后一张照片中，这条鱼完全把自己埋在了沙子里，只有眼睛露在外面。

●塔利·奥瓦迪亚和自己养的9岁大的阿拉伯鲀"芒果"正在进行"瞪眼比赛"。（摄影 Corky Miller）

●克里斯蒂娜·泽纳托会轻柔抚摸那些信任自己的鲨鱼（图中为三条佩氏真鲨），让它们放松下来，如果有需要的话，还可以帮它们取出嘴里的鱼钩。（摄影 Victor Douieb）

●有些鱼会十分信赖自己熟悉的潜水员。图中，名为"拉里"的眼带石斑鱼正在享受潜水员凯西·昂鲁的抚摸。

●射水鱼会通过练习和观察磨炼自身技艺。（摄影 ©Kim Taylor/Minden Pictures）

Nature Wonders　　Youth Edition
国际科普大师丛书(青春版) ● 博物篇

鱼
什么都知道

WHAT A FISH
KNOWS
The Inner Lives of Our
Underwater Cousins

［美］ 乔纳森·巴尔科姆
(Jonathan　Balcombe) /著
肖梦、赵静文/译

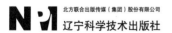
北方联合出版传媒（集团）股份有限公司
辽宁科学技术出版社

著作权合同登记号：图字 01-2018-2781 号
WHAT A FISH KNOWS by Jonathan Balcombe
Copyright © 2016 by Jonathan Balcombe
Published by arrangement with Scientific American, an imprint of Farrar, Straus and Giroux,
LLC, New York.
Simplified Chinese translation copyright © 2025 by United Sky (Beijing) New Media Co., Ltd.
All rights reserved

图书在版编目（CIP）数据

鱼什么都知道 / (美) 乔纳森·巴尔科姆著；肖梦，
赵静文译. -- 沈阳：辽宁科学技术出版社, 2025. 1.
(国际科普大师丛书：青春版). -- ISBN 978-7-5591
-3963-4

Ⅰ. Q959.4-49
中国国家版本馆CIP数据核字第20241GX694号

出 版 者：辽宁科学技术出版社
　　　　　（地址：沈阳市和平区十一纬路25号 邮编：110003）

印 刷 者：大厂回族自治县德诚印务有限公司
发 行 者：未读（天津）文化传媒有限公司
幅面尺寸：889mm×1194mm，32开
印 　 张：6.5+0.25（彩插）
字 　 数：160千字
出版时间：2025年1月第1版
印刷时间：2025年1月第1次印刷

关注未读好书

选题策划：联合天际
责任编辑：张歌燕　于天文　王丽颖　马　航
特约编辑：张雅洁　王羽霭
美术编辑：冉　冉
封面设计：typo_d
责任校对：王玉宝

客服咨询

书 　 号：ISBN 978-7-5591-3963-4
定 　 价：36.00元

目录

前言

八岁那年，我在多伦多北部参加夏令营时，曾和年长的营长一起爬上一艘铝制小船。他将船开到距离浅海湾24千米的地方，在之后的两个小时里，我们一直在钓鱼。那是一个宁静的夏夜，水面如镜。我第一次乘着小船，在如此广阔且泛有微波的暗黑色水面上行驶，惬意至极。我不禁好奇，到底是怎样的生物隐藏在水下。每当我的原始钓竿——一根挂着线和鱼饵的削了皮的小树枝——突然晃动时，我总是激动不已，这意味着有鱼上钩了。

那天我一共钓了16条鱼，把其中的一些放生之后，我们留下较大的鲈鱼作为第二天的早餐。纳尔逊先生承包了所有的脏活，他把扭动的蚯蚓挂在有倒刺的鱼钩上，从鱼嘴上解下鱼线，将刀插进鱼的头骨。干活的时候，纳尔逊先生的面部总是奇怪地扭曲着，我不知道他是因为厌恶还是仅仅太过于全神贯注。

我对那次旅程有很多美好的回忆。但是，作为一个对动物怀有恻隐之心的敏感的孩子，那艘小船上发生的很多事情都让我感到困扰。我暗自担心那些作为鱼饵的虫子，也因鱼会感受到的疼痛而烦恼。当顽固的鱼钩从它们瘦骨嶙峋的脸上被拔出来时，它们的眼睛瞪得圆圆的。或许有些鱼暂时躲过了刀子，但也只能被困在小船一侧摇晃的铁丝网里慢慢等死。那位坐在船首的善良的人似乎并不觉得有什么不对，于是我也告诉自己这一切都是合理的——更何况第二天早晨鲜美的鱼肉将前一天的不安冲淡了很多。

在我的成长过程中有很多和鱼有关的记忆，而想到这些冷血亲戚在人类道德体系中占据的位置时，我总是感到很矛盾。在多伦多

1

读小学四年级时，我曾和其他几位同学一起被选去搬运物料，我们需要将东西从教室搬到附近的另一个房间。其中有个玻璃鱼缸，里面住着一条孤独的金鱼。鱼缸里有四分之三的水，搬起来很重。考虑到其他搬运者很可能做不到像我一样关心它，我主动提出将鱼缸运到目的地，也就是另一个房间里临近水池的柜台上。

多么讽刺！

我用小小的手紧紧抱着鱼缸，稳稳地走出房间，下楼穿过大厅，再走进新的房间。当我小心翼翼地靠近柜台时，鱼缸突然从我手中滑落，摔在坚硬的地板上。那一刻，我的恐惧如慢动作播放一般蔓延。玻璃碎片散落一地，水溅得到处都是。我站在那里，愣住了。有同学反应过来，马上抓起拖把，把玻璃和水扫到一边，我们四个人开始在地板上搜索金鱼。然而一分钟过去了，我们没有看到任何生命迹象。这一切就像一场噩梦，就好像那条金鱼已经体验过作为生命的狂喜，现在升入了天堂。最后，终于有人发现了那条金鱼。它蹦到了散热器后面，卡在靠里的边缘处，距离地板 5 厘米高，完全脱离了我们的视线。它还活着，呆呆地睁着眼睛。我们迅速把它转移到一个盛满自来水的烧杯里。我想它应该是活了下来。

金鱼事件给我留下了深刻的印象，四十年后依然记忆犹新，可即便如此，我仍然没有对鱼产生更多的同理心。我从来没有喜欢过钓鱼，与纳尔逊先生一起出游后对钓鱼产生的一点点热情，也很快在我需要自己挂取鱼饵的时候消耗殆尽。我不觉得自己在斯特金湾唐突钓上来的鲈鱼和我在艾迪斯维尔小学失手掉的那条可怜的金鱼之间有什么联系，更不用说那些我在家庭旅行中、在麦当劳里吃掉的麦香鱼三明治里默默无闻的鱼。那时是 20 世纪 60 年代晚期，麦当劳已经在宣传"为十亿人送上过美味"[1]，但一提到这个数量，总让

---

(1) "为十亿人送上过美味"的原文为"over one billion served"，既可以理解为指人，也可以理解为指动物。（本书中注释除特殊说明外均为编者注。）

人觉得是在说提供给消费者的鱼或鸡，而非消费者本身。就像其他社会成员一样，我很幸运地远离了那些动物，那些曾经鲜活但最终变成人类午餐的动物。

十二年后，我在大学读生物专业的最后一年选了鱼类学课程，直到那时，我才开始认真思考我和动物的关系，包括我和鱼类的关系。一方面，我被鱼类的结构多样性及其对环境的适应性吸引；另一方面，我又因那些呆滞的、需要用解剖显微镜和分类检索表进行研究归类的个体而感到不安，它们曾经如此鲜活。期中时，班级组织大家去参观皇家安大略博物馆，在那里，我们见到了加拿大最著名的鱼类学专家之一，由他带领我们参观博物馆的鱼类收藏。他打开一个大木箱上的锁，掀开盖子，展示了一条保存在油性防腐剂中的巨型突吻红点鲑。这条重达 46.7 千克，足以破纪录的雌鱼于 1962 年在阿萨巴斯卡湖(1)被人发现。激素失衡导致了它的不孕，而原本会消耗在艰巨产卵任务上的能量转而堆积成了硕大且丰满的身躯。

我很同情它。就像我们遇到的大多数人一样，它没有名字，身世成谜。它应该有更好的归宿，而不是像现在这样被储存在木箱子里。在我看来，它还不如被人类吃掉，至少这样它的身体可以再次回到食物链的循环当中，而不是几十年漂浮在黑暗里，因化学物质而变得污浊。

介绍鱼类的书籍有很多，它们介绍鱼类的多样性、生态、繁殖、生存策略等，介绍如何捕鱼的书籍和杂志也能装满几书架了。但到目前为止，还没有哪本书能够代表鱼类发声。我并不是指以自然资源保护论者的身份对濒危物种所处困境或对鱼类资源过度开发进行的谴责（不知你是否注意到，"过度开发"这个词已经将开发进行了合法化，"资源"一词也将动物降级为如小麦一样的商品，似乎其存

---

(1) 阿萨巴斯卡湖位于加拿大境内，是加拿大第四大湖。

在的唯一目的就是为人类提供补给）。这本书将前所未有地从鱼类的角度发声。感谢动物行为学、生物社会学、神经生物学和生态学方面的重大突破，如今我们可以更好地理解鱼类眼中的世界，了解它们如何思考、如何感受、如何面对外部环境。

在撰写本书的过程中，我一直想把科学知识和人类与鱼之间的故事穿插在一起，在接下来的章节中我也会进行分享。这些趣闻轶事对于科学家来说并没有多高的可信度，但能给我们提供灵感，探索那些科学尚未涉及但或许动物可以做到的事，也能引导我们对人与动物的关系进行更深层次的思考。

这本书所探讨的是一种拥有深刻内涵的简单的可能性，即鱼[1]是具有内在价值的独立个体，也就是说，鱼的价值与人类眼中的实用性价值（比如作为食物或观赏对象）并无关联，而其中深刻的含义在于，这一特性会让其成为人类道德关注的对象。

为什么会这样？主要原因有两点。首先，鱼类是世界上被捕捞（以及过度捕捞）最严重的脊椎动物。其次，有关鱼类感知与认知的科学正在飞速发展，是时候转变思路、重新考量我们对待鱼类的方式了。

对鱼类的捕捞有多严重呢？根据联合国粮食农业组织对1999—2007年间渔业捕捞数据的分析，作家艾利森·穆德估算，人类每年捕杀鱼类的数量在10000亿～27000亿之间[2]。为了更清楚地理解10000亿条鱼的概念，可以假设每天被捕的鱼的长度与一美元纸币（15厘米）的长度相当，我们将所有被捕的鱼首尾相接，连起

---

(1) 原文使用了"fishes"一词，作者给出如下注释："我们通常会在描述两条至一万亿条之间的鱼类时，使用单数形式'fish'，这种表述能将它们像一排玉米粒一样联结在一起。而我偏向于使用复数形式'fishes'，强调这些动物是有个性且相互联系的个体。"
(2) 原注：穆德的估算不包括娱乐性垂钓鱼类、非法捕获的鱼类、作为副渔获物（非目标鱼类）及废弃物的鱼类、逃脱渔网后死亡的鱼类、被丢弃或废弃渔具捕捞上来的"幽灵渔捞"、钓鱼者作为诱饵使用但未被记录的鱼类，以及作为鱼虾养殖场饲料但未被记录的鱼类。

来的长度足以完成一次地球和太阳间的往返旅行（约 29920 万千米）——还能有几千亿条鱼的剩余。

穆德的估算结果出人意料，因为鱼类的捕捞量很少按个体数量计算，联合国粮食农业组织估算的 2011 年的商业捕鱼量为 1 亿吨。鱼类生物学家史蒂文·库克和伊恩·考克斯是为数不多的列举鱼类个体死亡数量的人，2004 年，两人估算全球每年约有 470 亿条鱼以娱乐垂钓的形式被捕上岸，其中 36% 的鱼类（约 170 亿条）被杀，剩下的得以重回水域。如果我们用商业捕捞的 1 亿吨鱼除以每条鱼的预估平均重量（0.635 千克），可以估算出商业捕捞量为 1570 亿条鱼。

某项研究表明，联合国粮农组织对过去 60 年里全球鱼类捕捞量的官方数据分析比实际缩水了一半以上，出现这一现象的原因包括常常被人忽略的小规模捕鱼、非法捕鱼、其他不确定捕鱼以及被遗弃的副渔获物。

但不管你怎么分析，被捕鱼类的数量非常庞大，而且它们死得并不优雅。致使商业捕鱼死亡的主要原因包括缺水导致的窒息，环境压力变化出现的身体减压，在巨大渔网中承受的数千条同伴的挤压，以及一旦上岸后即被取出内脏的现实。

不管你选择相信哪种说法，这些令人晕眩的数字似乎掩盖了一个事实，即每条鱼都是独一无二的个体，它们不仅拥有生物属性，更有自己的生平传记。就像每条翻车鲀、鲸鲨、蝠鲼以及豹纹喙鲈都有独特的外貌特征，能够让你一眼从外表上辨认出来一样，它们也都有自己独特的内心世界。而其中也体现了人和鱼类之间关系的变化轨迹。生物学认为，每一条鱼，就像每一粒沙子一样，是独一无二的。但与沙粒不同，鱼是有生命的。这一差别有着重要意义。当我们逐渐将鱼作为有意识的个体去理解时，或许会和它们形成一种全新的关系。就像一位不知名的诗人所写的不朽名言一样："一切都没变，只是我的态度变了，于是一切都变了。"

第一章

被误解的鱼

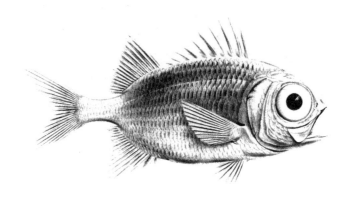

我们不会停止探索
而我们探索的终端
将是我们启程的地点
我们生平第一次知道的地方
——T.S. 艾略特

我们通常所说的"鱼"，指的是一个丰富多样的物种集合。根据全球最大且查询率最高的线上鱼类数据库 FishBase 的统计，截至2016 年 1 月，已知鱼类包括 64 目、564 科、33249 种。这一数量要比哺乳动物、鸟类、爬行动物和两栖动物的物种总和还多。当我们提到"鱼类"时，我们谈论的其实是地球上人类已知的 60% 的脊椎动物。

几乎所有的现代鱼类都可以被划分为两大类：硬骨鱼和软骨鱼。硬骨鱼学名为"teleosts"（源自希腊语，"teleios"意为"完全"，"osteon"意为"骨头"），是当今鱼类的主要构成部分，涉及 31800种，包括我们熟知的鲑鱼、鲱鱼、鲈鱼、金枪鱼、鳗鱼、比目鱼、金鱼、鲤鱼、梭子鱼、米诺鱼[1] 等。软骨鱼学名为"chondrichthyans"（"chondr"意为"软骨"，"ichthys"意为"鱼"），约有 1300 种，包括鲨鱼、虹鱼、鳐鱼、银鲛[2] 等。这两大类下的成员拥有陆生脊椎动物的全部十个身体系统：骨骼、肌肉、神经、心血管、呼吸系统、感觉系统、消化系统、生殖系统、内分泌系统和排泄系统。还有一类特殊的鱼是无颌鱼类，或者称为"agnathans"（"a"意为"没有"，"gnatha"意为"颌部"），这是一个由约 115 种成员组成的小类，包括七鳃鳗和盲鳗等。

我们简单地将所有带脊椎的动物分成了五类：鱼类、两栖动物、

（1）米诺鱼指的是生活在北美的鲤科下的一些鱼类，包括若干个属。

（2）原注：有些科学家将银鲛（即俗称的"鬼鲨"）单独分为一类。

爬行动物、鸟类和哺乳动物。[1] 然而这种分类方式本身带有误导性，它无法体现鱼类之间的巨大差别。从进化的角度来看，至少硬骨鱼应该与软骨鱼区分开，就像哺乳动物和鸟类不能混为一谈一样。和鲨鱼比起来，金枪鱼跟人类的亲缘关系更近，而1937年被发现的"活化石"腔棘鱼，又在生命起源之树上比金枪鱼与人类的关系更近一些。这样一来，如果将软骨鱼计算在内的话，至少有六种主要的脊椎动物类群。

人类之所以有"所有鱼类之间都存在关联性"的错觉，在一定程度上是因为动物在水中很难进化出高效移动的能力。水的密度大约是空气密度的800倍，因此水生脊椎动物多为流线型，肌肉发达，而扁平的附肢（鳍）能够在减少阻力的同时产生向前的推力。

在高密度的介质中生存也意味着重力的作用会大大缩减。水的浮力能帮助水生生物免受陆生动物的体重困扰，因此体形最大的动物鲸，才会生活在水中。这些因素也解释了为什么大多数鱼类的相对脑容量（脑重量占体重的百分比）较小，而这一点，也让鱼在我们用大脑衡量其他生物时处于劣势。鱼借助大块且有力的肌肉在阻力远大于空气的水中前行，在这样几乎失重的环境中生活，意味着相对于脑体积来说，身体体积可以无限大。

不管怎么说，大脑体积在认知发展方面的意义不大。正如作家西·蒙哥马利在一篇有关章鱼大脑的文章中提到的，电子行业中的一切产品都可以做到小型化。一条小鱿鱼学习走出迷宫的速度比狗要快，而小虾虎鱼只要在高潮时游过一次潮池[2] 就能记住地形，这是极少数人才能完成的壮举。

---

(1) 另有一说将脊椎动物分为六类：鱼类、两栖动物、爬行动物、鸟类、哺乳动物和圆口类（无颌类）动物。
(2) 潮池是指退潮后，留在岩石间的潮水形成的一个又一个封闭的水池。高潮时，海水涌进其间。

最早的鱼形生物出现在距今约5.3亿年前的寒武纪[1]。它们体形较小，鲜有变化。约9000万年后的志留纪时期，鱼类长出了颌，实现了进化上的重大突破。这些先驱脊椎动物得以捕获并撕咬食物，增强了捕猎过程中的咬合能力，在很大程度上丰富了晚餐的选择。或许我们也可以把颌看作自然界的第一把瑞士军刀，其功能还包括操纵物体、挖洞、为建巢搬运材料、转移及保护后代、传播声音以及实现交流（比如"别过来，小心我咬你"）。颌的进化为鱼类及一些早期的超级掠食者在泥盆纪的爆炸式增长提供了条件。正因为如此，泥盆纪又被称为"鱼类时代"。大多数生活在泥盆纪的鱼都是盾皮鱼，头部有坚硬的盔甲，身体则是软骨骨架。大型盾皮鱼足以令人畏惧。邓氏鱼和霸鱼的部分品种的体长可超过9米，它们没有牙齿，却能用颌内两副尖锐的骨板将食物咬碎磨烂。在这些鱼的化石中常会发现未完全消化的鱼骨块，这意味着它们会像现代猫头鹰一样反刍食丸[2]。

尽管这些鱼类和泥盆纪一起在3亿年前消失，但大自然对盾皮鱼非常友好，细心地为其保留了精致的样本，古生物学家得以推演出盾皮鱼生活中许多迷人的侧面。其中一个特别的发现，是来自西澳大利亚州戈戈化石遗址的艾登堡鱼母（*Materpiscis attenboroughi*）。它以英国偶像级的自然纪录片主持人大卫·阿滕伯勒的名字命名，在1979年的系列纪录片《生命的进化》（*Life on Earth*）中，阿滕伯勒表达了对这一物种的强烈兴趣。这份保存完好的3D样本，能帮我们抽丝剥茧，展示鱼的内部结构。令人惊讶的是，在这条鱼的

（1）原注：直到1亿年后，勇敢的肉鳍鱼后代才迈出了踏上陆地的试探性一步。为了理解这些时间跨度，请想一想人属（*Homo*，包括能人、尼安德特人、智人等物种）的存在时间也只有200万年。如果我们将人类生活在地球上的时间压缩为一秒钟，鱼类的生存时间已经4分多钟了。在鱼类离开水之前，它们在地球上存活的时间比人类多50倍。
（2）部分鸟类会将其食物中不能吸收且无法排泄的东西以食丸的形式吐出来，食丸多呈圆形或椭圆形。

身体里，是一条发育完全且通过脐带和母亲紧紧相连的小艾登堡鱼母。这一发现将体内受精的历史向前推进了约2亿年，不仅震动了学术界，也为早期鱼类的生活增添了一抹情爱色彩。目前已知的能够实现体内受精的方式只有一种，即通过可插入的性器官。由此可见，鱼类是最早享受到性爱欢愉的动物。阿滕伯勒曾在一次公共演讲中，表达了自己对这一发现及将其公之于世的澳大利亚古生物学家约翰·朗的复杂情绪："在生命的长河中，这是人类已知的第一个脊椎动物交配的例子……而约翰竟以我的名字为其命名。"

尽管盾皮鱼拥有了性，但和盾皮鱼同期出现的硬骨鱼，则有着更光明的未来。虽然它们在终结了二叠纪的第三次生物大灭绝中损失大半，但在之后长达1.5亿年的三叠纪、侏罗纪和白垩纪里，硬骨鱼的物种多样性得到极大增强。大约1亿年前，硬骨鱼真正开始蓬勃发展。从那时算起直到今天，人类已知硬骨鱼的种类数量较那时之前增多了5倍以上。然而，化石并没有直接告诉我们有关它们的秘密，或许还有更多早期的鱼类仍被掩藏在石块之中。

和硬骨鱼一样，软骨鱼也逐渐从二叠纪的打击中恢复过来，只是随后没有出现爆炸式的多样化发展。就我们所知，如今鲨鱼和鳐鱼的种类比历史上任何时期都要多。我们开始发现，它们并不像传闻中那样好斗。

物种丰富 多才多艺

与陆生生物相比，鱼类的生活更难观察，因此很难被彻底了解。根据美国国家海洋与大气管理局的数据，全球只有不到5%的海洋得到了开发。深海是地球上最大的栖息地，其中生活着全球大部分的动物。一项于2014年上半年公布的长达七个月的研究，曾利用回声探测技术在中层带[1]进行探查，其结果显示这一区域实际存在的鱼类数量是之前预想的 10 ~ 30 倍。

为什么不呢？或许你听过一种很普遍的说法，即对于生物来说，居住在深海是一种折磨。但这其实是种肤浅的观念，与我们承受的每平方米十吨的大气压力相比，深海动物承受的海水压力其实不算什么。正如海洋生态学家托尼·科斯洛在其著作《沉寂的深处》（*The Silent Deep*）中解释的，相对而言，水是不可压缩的，由于生物体内部的压力和外部的压力几乎持平，深海压力所产生的影响并没有我们想象中大。

随着科技的发展，人类得以一窥深海，但即使是在可探测的栖息地，仍然隐藏着很多未被发现的物种。1997—2007 年间，仅在亚洲的湄公河流域就发现了 279 个新物种。2011 年，四种鲨鱼新物种被发现。按照这样的比率，科学家们预测鱼类总数将会稳定在 35000 种左右。随着鱼类的基因探测技术不断发展，或许还会有数以千计的鱼类等待着人类发现。20 世纪 80 年代末，我在读硕士期间研究蝙蝠时，已知的蝙蝠种类是 800 种，如今这一数字已经涨到了 1300。

差异带来多样性，而鱼类王国丰富的多样性催生出很多奇特且令人惊异的生命形态。世界上最小的鱼——也是世界上最小的脊椎动物——是一种来自菲律宾吕宋岛的小虾虎鱼。成年菲律宾矮虾虎鱼长仅 7 毫米，重约 0.004 克，300 条菲律宾矮虾虎鱼的总重量甚至抵不过一枚硬币。

一些雄性深海鮟鱇的长度不超过 1.2 厘米，比菲律宾矮虾虎鱼大不了多少，但它们极为大胆的生存模式弥补了体形上的缺陷。一旦侦查到雌性气息，雄性深海鮟鱇便会用嘴咬住对方，直到生命的

---

(1) 中层带是指海洋表面以下 200 米至 1000 米位置的区域。

尽头。它们咬住对方的位置并不重要——可能是腹部，也可能是头部——但雄鱼最终将与雌鱼融合在一起。因为体形比雌鱼小很多，雄鱼更像是另一只特化的鱼鳍，以雌性的血液供给为生，通过静脉实现受精。三条甚至更多的雄鱼能够寄生在同一条雌鱼身上，它们依附着雌鱼，就像残存的躯干一般。

这种看起来像是可怕性骚扰的行为，被科学家称为"异性寄生"。但是，造成这种非常规交配方式的原因并没有那么不光彩。据估计，雌性鮟鱇出现的概率是每800000立方米一条，这意味着雄鱼需要在一个足球场大小的黑暗空间里找到足球大小的物体。对于鮟鱇来说，在茫茫的黑暗深渊中找到彼此是极其困难的事，因此一旦找到，最明智的方法就是尽快依附上去。1975年，彼得·格林伍德和J.R.诺曼修订《鱼类历史》（*A History of Fishes*）时，已经找不到独立生存的成年雄性鮟鱇了，因此鱼类学家猜测，如果未能成功找到可依附的雌鱼，雄性鮟鱇恐怕只有死路一条。但来自华盛顿大学，同时是伯克自然历史文化博物馆鱼类馆馆长、全球顶尖的深海鮟鱇研究专家特德·皮奇告诉我，世界范围内曾有上百只独立生存的雄性鮟鱇在样本采集的过程中被发现。

雄鱼好吃懒做的结果是，雌鱼永远不用担心它的伴侣周六晚上在哪里鬼混。事实上，除了作为累赘之外，一些雄鱼也确实会做出少许贡献。

鱼类另一项令人惊异的技能是它们的繁殖力，这一点在所有脊椎动物中无人能及。一条1.5米长、25千克重的鳕鱼，卵巢内就有28361000个卵子。即使是这样的规模，也无法和最大的硬骨鱼，即翻车鲀的3亿卵子数量相提并论。这样的庞然大物竟然是由如此不起眼的射入水中的卵子发育而成，这很容易造成人们的偏见，认为鱼类不值得研究。但我们需要记住的是，所有生物都由单细胞发展而来。在本书之后的"育儿方式"一节中，大家会发现很多鱼类的养育能力已经十分成熟了。

从一颗比字母"o"还要小的卵子开始，成熟后的鳕鱼能够达到1.8米长——这也是鱼类另一项令人称奇的技能，在独立的生命周期内，它们的身体能够增长数倍。然而，所有脊椎动物当中的生长冠军，或许是拥有尖尾鳍的翻车鲀。它们的身体虽然不是流线型[1]，却能够从 0.25 厘米长到 3 米长，成熟后的体重是之前的 6000万倍。

与此同时，鲨鱼则处在鱼类繁殖能力体系的另一端。部分种类的鲨鱼一年只会产一条小鲨鱼，而且还是在它们达到性成熟之后——对于一些鲨鱼来说，这一过程需要 25 年甚至更长的时间。而遭到过度捕捞，且很可能被用来当作解剖学习材料的白斑角鲨，则平均需要 35 年才能达到性成熟。鲨鱼的胎盘结构和哺乳动物的胎盘结构一样复杂。它们一生中怀孕的次数寥寥无几，孕期也十分漫长。皱鳃鲨的怀孕时间超过三年，这也是自然界当中已知的最长孕期——衷心希望怀孕的皱鳃鲨妈妈们不会有晨吐反应。

白斑角鲨不会飞，其他鱼类也不具备这种能力，但它们或许是全球顶级的滑行选手。其中最著名的要数飞鱼。广阔的海洋表层生活着约 70 种飞鱼，它们的胸鳍已经大大进化，能够起到类似翅膀的作用。为降落做准备时，飞鱼的速度可以达到每小时 64 千米。飞行时，它们将尾鳍的下叶浸入水中作为增压器，飞行距离可达 350 米以上甚至更远。鱼类飞行时通常只是贴着水面，但有时，一阵狂风也能将这些飞行者带到 4.5 ~ 6 米的高度，这或许能解释为什么有时飞鱼会落在甲板上。我很好奇，如果水生动物没有了呼吸系统的限制，飞鱼能否拍打"翅膀"飞得更远呢？还有一些鱼也能够飞到空中，比如南美和非洲的脂鲤科鱼类以及名字听起来更像马戏节目

---

(1) 原注：翻车鲀科的科名"Molidae"，指的就是它们如平圆磨石一般的身形。

的翱翔真豹鲂鮄。

说到鱼类之最，不得不提到鱼的名字。名字最长的几种鱼类之一是夏威夷州的州鱼，黑带锉鳞鲀，被当地人称为"humuhumu-nukunukuapua'a"（意为"用针缝合起来且鼾声如猪的鱼"）。最朴素名字奖，应属于毛颌鮟鱇[1]。最好笑的则是勃氏新热鳚[2]。最粗鲁的鱼名，我会提议一种小型的近海鱼类双带海猪鱼[3]。

但说真的，有关鱼类最激动人心的消息是对它们如何思考、如何感受，以及如何生活的深入研究。几乎每周都会有有关鱼类生物学及行为学方面的新发现。人们对礁岩的细致观察，揭开了清洁鱼和其"顾客"之间微妙的互利共生，而这一事实也推翻了此前人们所认为的鱼只是听从本能的傻瓜的这一论断。简单的实验也能够证明让鱼类声名狼藉的三秒记忆一说并不属实。在下一章节，我们将会了解到鱼类不仅拥有感知，也有意识，能交流，善社交，会使用工具，有道德准则，甚至会像马基雅维利主义者一样不择手段。

并不卑贱

在所有脊椎动物中，鱼类对人类来说是最陌生的。它们很少有可观测的面部表情，总是静默无声，和其他呼吸空气的动物相比，更容易被人类忽略。鱼类在人类文化中的定位通常体现为以下两个相互交叉的层面：可以捕捞，可以吃。在人们看来，垂钓不仅是良性的，还是美好生活的象征。广告中常会无缘无故地出现垂钓的画面，甚至美国最受欢迎的电影公司梦工厂的标志，就是一个拿着钓

---

(1) 毛颌鮟鱇的英文名为"hairy-jawed sack-mouth"，直译为"颌部多毛的袋嘴鱼"。
(2) 勃氏新热鳚的英文名为"sarcastic fringehead"，直译为"刻薄的流苏脑袋"，得名于它火暴的脾气和眼部奇特的附属物触毛。
(3) 双带海猪鱼的英文名为"slippery dick"，意为"湿滑的阴茎"。

竿的汤姆·索亚[1]式的男孩。或许你也曾碰到过一些自诩素食主义者的人也会吃鱼，在他们看来，吃鳕鱼和吃黄瓜在道德上似乎没有什么差异。

为什么我们容易将鱼排除在人类的道德关注圈之外呢？首先，鱼是"冷血的"——但这样一种外行的说法并没有任何科学依据。我想不通体内是否有调节体温的机制与生物体的道德地位之间有什么关系。但不管怎么说，大部分鱼类的血液并不总是冷的。鱼是变温动物，它们的体温受到外界因素，尤其是其生活水域水温的影响。生活在温暖热带水域的鱼，体温相对较高；反之，生活在寒冷深海地区或两极地区的鱼（事实上也是大部分鱼类），体温就会处于冰冻的边缘。

但这样的解释也并不全面。金枪鱼、剑鱼以及部分鲨鱼并非完全意义上的变温动物，其体温高于外界的水温。它们借助强壮有力的泳肌获取热量。蓝鳍金枪鱼能够在 7 ~ 27 摄氏度的水中保持 27.8 ~ 32.8 摄氏度的肌肉温度。无独有偶，很多拥有粗大血管的鲨鱼会通过核心泳肌向骨髓输送温暖的血液，实现中枢神经系统的保温。大型掠食性喙鱼（枪鱼、剑鱼、旗鱼等）会利用这些温度为大脑和眼睛加温，以便在更深更冷的水域中保持最佳状态。2015 年 3 月，科学家首次公布了对真正的温血鱼月鱼的研究。月鱼能够在几百米深的寒冷水域中保持 12.8 摄氏度左右的体温，这得益于月鱼拍打长长的胸鳍时所产生的热量，以及能将这些热量储存下来的位于鳃部的逆流热交换系统[2]。

人类对鱼的另一个偏见是认为它们"原始"。其中包含了很多不友好的暗示，比如简单、发育水平低、愚笨、迟钝、无情。D.H. 劳

（1）　汤姆·索亚出自美国小说家马克·吐温的作品《汤姆·索亚历险记》。
（2）　月鱼从身体核心部位流出的血液，能够通过独特的鳃部结构加热呼吸时流回的冰冷血液，从而调节自身体温。

伦斯在 1921 年的诗作《鱼》中写道，鱼"诞生在我的日出之前"。

毋庸置疑，鱼类这一物种由来已久，但据此将鱼类划归为"原始物种"的看法仍是谬论。这一观点假定，在一些水生动物登上陆地后，留在水里的动物就停止了演化，而这一点并不符合生物永不停息的进化规律。现存所有脊椎动物的大脑和身体都是原始与现代特征的结合体。随着时间流逝，大自然会逐步完善，保留那些重要的部分，淘汰其他多余的摆设。

最初拥有腿和肺的鱼类都已绝迹。今天我们在地球上看到的几乎一半的鱼都属于鲈形总目，它们在 5000 万年前经历了一次狂欢式的物种进化，并在约 1500 万年前达到物种多样性的高峰。当时的猿类族群，也就是人类的祖先类人猿也正在进化。

因此，大约一半的鱼都没有人类"原始"。但早期鱼类的后代拥有更长的进化时间，这样一来，鱼类可以说是所有脊椎动物当中进化最为成熟的了。让人惊讶的是，鱼类在它们的遗传机制下甚至能长出手指，这足以证明鱼类与现代哺乳动物的诸多相似之处。只是在鱼身上，鱼鳍代替了手指——毕竟在游动时，鱼鳍要比手指好用多了。分节的肌肉组织也是如此，最能凸显运动员健美线条的搓衣板似的肌肉腹直肌（不只是运动员，其实所有人身上都有，只不过藏在厚厚的脂肪下面罢了），也可以追溯到最先出现在鱼类身上的中轴肌。就像尼尔·舒宾的畅销书《你体内的鱼》（*Your Inner Fish*）的书名所指，我们的祖先（以及现代鱼类的祖先）都是早期的鱼类，在我们的身体里，依旧留有这些共同的水生祖先的痕迹。

古老的生物体并不一定意味着简单，进化也并非不懈地趋于更复杂或体形更大。大型恐龙的体形远大于现代的爬行动物，而且古生物学家最新发现的证据表明，这些恐龙也是社交动物，它们有亲代抚育行为，其沟通模式至少和现代爬行动物一样复杂。同样地，在几百、几千万年前，在哺乳动物多样性大繁荣的时期，最大的陆生哺乳动物也未能免于灭绝。真正意义上属于哺乳动物的时代就此结束。虽然我们习惯于将过去的 6500 万年视为哺乳动物的时代，但硬骨鱼也在同一时期不断繁衍发展，甚至发展速度更快。"硬骨鱼时代"听上去没有那么性感，但这种说法其实更为精确。

正如进化并不总是向着越来越复杂的方向发展一样，它也不是趋于完美的过程。虽然是适者生存，但认为动物能够完美适应环境的想法也是一种谬论，因为环境并不是一成不变的。气候类型，地震、火山喷发等地质变化，以及持续不断的侵蚀，都在改变地球的模样。甚至除去这些不稳定因素外，大自然本身也会走一些弯路。这一过程中难免会有妥协，人类身上就有很多例子，包括我们的阑尾、智齿，以及视神经穿过视网膜造成的盲点。对于鱼类来说，呼吸时鳃盖必须一张一合，但这样也会产生向前的推力。如果鱼类想要保持静止——就像大部分鱼在休息时做的那样——它就必须找到能够替代鱼鳃推力的另一种力。这也解释了为什么鱼在静止时，胸鳍依旧没有停止摆动。

我们对鱼类进化过程及其行为方式的了解越多，对鱼类的认识就会越深入，和它们的联系也会越紧密。要想做到感同身受，关键是从他人的角度出发考虑问题，当然就这种情况而言是从他"鱼"角度出发，而其中的核心，是要走进鱼类的感官世界。

第二章

鱼的认知

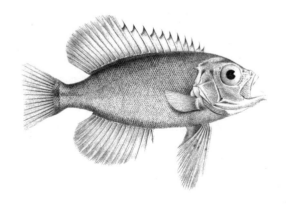

没有真理，只有感知。

——居斯塔夫·福楼拜

鱼的视觉

金红色，如水般精致的，平静如镜的明亮眼睛。

——D.H. 劳伦斯《鱼》

我们熟知的感官有五种：视觉、嗅觉、听觉、触觉和味觉。但实际上，人类拥有的感官远远多于这些。试想如果没有幸福感，生活将会多么无聊！虽然生活中没有痛感这一想法非常诱人，但如果将手放在炙热的炉子上却丝毫意识不到危险该有多么可怕！没有了平衡感，我们无法走路，更别说骑自行车了。没有了感知压力的能力，即便是熟练使用刀叉，也将成为精神需要高度集中的壮举。作为经历了长时间进化的生物，鱼类拥有多样且成熟的感知模式。

当我还是一名动物行为学专业的学生时，我最喜欢的概念之一是德国生物学家雅各布·冯·尤克斯考尔于 20 世纪早期提出的"周围世界"（umwelt）。我们可以将动物的周围世界看作它们的感官世界。因为动物的感觉器官千差万别，即使身处同样的环境，不同物种感知到的世界也各不相同。

例如，猫头鹰、蝙蝠和飞蛾都是夜行性动物，但其生物结构不同，意味着它们的"周围世界"各有差别。猫头鹰主要依靠视觉和听觉捕捉猎物。蝙蝠同样依赖听觉，但方式与猫头鹰不同：它们能够感知自己发出的高频率声波，利用回声定位能力捕捉猎物、辨别方向。飞蛾作为无脊椎动物，可能是这三者之中与人类的感官世界相差最远的，但它们视力极佳，且能够借助超强的气味探测能力，跋山涉水找到伴侣。理解动物感知器官的运作方式，能够帮助人类走进它们的感官世界。

鱼类生活在水中，它们的"周围世界"和呼吸着空气的人类有很大区别。但进化是一个希望一切规整的保守派设计师。拿鱼的眼睛举个例子：除了鱼没有眼睑这一显而易见的不同外，鱼类的眼睛其实和人类的很像。与大多数脊椎动物（包括人类）的眼球一样，鱼的眼球由三对肌肉控制，这些肌肉能让眼睛朝不同方向灵活旋转，同时在悬韧带和缩肌的帮助下，鱼儿能够注意到增氧装置处升腾的气泡，或是在玻璃另一侧专心盯着鱼缸看的站立生物。作为陆栖动物的进化祖先，早期的鱼类发展出了这一视觉系统。大部分小型鱼类的眼部活动很难被察觉到，不过下次去水族馆的时候，你可以观察一下大型鱼的眼部变化，它们的眼珠常常转来转去，查看着周围的环境。

在球面的高折射率，即光在真空中的传播速度与光在该介质（此处指眼睛）中的传播速度之比下，鱼在水下看到的物体就和人类在空气中看到的物体一样清晰。虽然鱼类没有能为眼球脆弱的表面保湿的泪腺或眼睑，但其赖以生存的水就足以保证眼睛的清洁与湿润。

海马、鳚鱼、虾虎鱼和比目鱼更是进化了眼部的肌肉组织，使得两只眼睛可以分别朝不同方向转动，就像变色龙一样。我能从中得出的唯一结论就是这些被眷顾的生物能够同时拥有两个视野。这项技能与人类大脑的运作方式完全不同，我曾试着想象用意识同时控制两个视野，但这种感受实在是超出了我的"周围世界"经验，其难度不亚于想象宇宙的边界。虽然一个由以色列和意大利科学家组成的团队设计了带有两个独立活动摄像头的"机械头"来模仿变色龙的视觉机制，但目前人类仍无法理解它们如何由同一个大脑操控。变色龙能同时拥有两种想法吗？一只眼睛盯着鲜嫩多汁的蚱蜢时，另一只眼睛能够看着头顶上的树枝，计划最佳的接近路线？海马能够一只眼睛冲着心仪的另一半抛媚眼，另一只眼睛警惕地关注着捕食者的一举一动吗？反正我的单线大脑做不到。如果我在看报纸的同时听着广播里面的《美国生活》，我的思路一定会在两者间来回穿梭，不管多么努力，也没办法同时跟上两个故事。

我也无法想象比目鱼的视觉体验，尤其是比目鱼幼体的视觉体验。它们看起来和其他的鱼没有什么区别，两只眼睛各在一边，游动时脊背朝上。但随着比目鱼不断长大，它们会经历一次奇异的转变，一只眼睛会转移到脸的另一侧。这个过程就像是一场没有手术刀与缝合线的面部整形手术，只不过是以慢动作的形式发生。甚至有的时候，这一过程也没有那么缓慢。对于星斑川鲽来说，整个转移过程只需要五天，而其他种类的比目鱼甚至有可能在一天之内完成。如果说哪种鱼会经历尴尬的青春期，那一定非比目鱼莫属。

两只眼睛长在一边这种事虽然有些丢人，但作为补偿，比目鱼拥有超强的双眼视觉。它的两只眼睛就像骄傲的邻居一样，不仅能从身体中探出来，还能单独转动。（不知道比目鱼是不是唯一一类能从自己眼睛里看到自己而且还会被吓一跳的鱼。）双眼视觉对于潜伏在沙质或岩石海底的比目鱼来说是一项很有用的技能，它们能够将自己精心伪装成背景，伺机以光速攻击一只毫无防备的小虾或其他倒霉的经过者。有了精准的深度知觉[1]，比目鱼能更好地判断埋伏的时机与成功概率。

对于比目鱼[2]以及鳎鱼、大菱鲆、庸鲽、副棘鲆、拟庸鲽、舌鳎等超过 650 种鲽形目鱼来说，眼睛的迁移是一项实用的生存技能。有些比目鱼被称为"鲽"，即左边的眼睛转移到身体右侧后，它们一

（1）深度知觉指生物体对同一物体的立体状态或对不同物体的距离的反应。
（2）中文中的比目鱼（flounder）是鲽形目鲽亚目鱼类的统称，而英文的"flounder"指的是鲽亚目里几个种的鱼类的统称，因此下文才会出现后面罗列的几类鱼都属于鲽亚目的情况。此处保留了原文的说法。

直向左侧躺，与此相反，另外一些比目鱼则被称为"鲆"。尽管有了升级的生存技能，细齿牙鲆和鳎鱼依然面临着过度捕捞导致的生存威胁。

生活在中南美洲大西洋海岸淡水与咸水水域中的四眼鱼，有着与众不同的拓展视野的方式。作为大自然中双焦镜的发明者，这些虹鳉（俗称"孔雀鱼"）的亲戚拥有分区的视网膜。四眼鱼游动时，视网膜中的水平间隔正好与水面吻合，眼睛的上半部分拥有完美的空气视觉，下半部分则能看清水里的一切。基于这种灵活的基因编码，四眼鱼眼睛的上半部分对空气中起主导作用的绿光波段更为敏感，而眼睛的下半部分则对污浊水质中常见的黄光波段更为敏感。当四眼鱼一边在水中寻觅美食，一边提防着空中突然飞来的捕食鸟类时，这种视觉上的宝贵优势就显得尤为重要。

大多数体形更大、速度更快，生活在开阔海域的掠食性鱼类，如剑鱼、金枪鱼以及部分鲨鱼，捕猎时依赖的是速度和超群的视力。一条 3.6 米长的剑鱼，眼距有近 1.2 米。即便如此，它们在水下捕猎时依旧面临很多视觉上的挑战。如果你曾有过没带手电筒，摸黑进入山洞的经历，就一定能理解鱼类在没有光线的深海里的感觉。不仅如此，海水的温度会随着深度的增加而降低，寒冷则会导致大脑迟钝、肌肉僵硬、反应时间延缓。

为了克服因寒冷而出现的一系列迟钝反应，有些鱼进化出了能够强化大脑和眼睛的天才技能，即充分利用肌肉产生的热量，赋予感觉器官更强的战斗力。剑鱼眼睛的温度能够比水温高出 1 ~ 6 摄氏度。这种热量来自眼部肌肉附近血液在流入和流出时进行的逆流交换。经动脉从心脏流出的低温血液在到达眼部附近时，能够由眼部肌肉中的特殊加热器官进行加热。动脉也会形成一个紧密的格状网络，增强流经血液的热量交换。科学家对从剑鱼身体中取出的眼睛进行研究时发现，正是因为有了这种加温策略，剑鱼在追捕猎物时的反应能力增强了超过十倍。

与剑鱼不同，很多鲨鱼更喜欢在光线微弱的夜间狩猎。它们的视网膜附近有一层能够反光的细胞组织"明毯"[1]。射到这层细胞上的光线会反射到鲨鱼的眼中，对视网膜的双重刺激可以有效增强鲨鱼的夜间视力。人们所熟知的猫以及其他陆栖夜行动物的"双眼放光"就是得益于此。如果鲨鱼能够在陆地上行走，你会在夜晚的车灯前看到它们眼中怪异的光。

与捕猎相比，躲避捕食者同样是头等大事。无论是生活在海洋、湖泊还是溪流中的鱼，都会用尽一切视觉手段来争取优势。例如，对于那些生活在浅水区域的鱼来说，水面就像是镜子，可以借此观察到处于视觉盲区的物体。生活在北美的湖泊、池塘以及水流缓慢的溪流中且只有碟子大小的蓝鳃太阳鱼，能够通过水面的反射，观察到远处的石头或眼子菜丛中潜伏的白斑狗鱼。同样地，捕猎者或许也能通过这样的技巧观察自己的猎物。想要弄清楚这一点，只要将双方放在临时的水族箱里进行研究就足够了。

蓝鳃太阳鱼使用的"镜子技术"只适用于风平浪静的时候，在平静的水面下，鱼类能够清楚观察到水面之上发生的一切，并在捕食的鸟类发动攻击前快速逃跑。而水面起浪时，鱼类的观察能力会有所下降，这或许也可以解释为什么海鸟多在水面起波浪时捕猎，而且会在这一时段收获更多。平静水面的折射也能够让鱼类观察到岸上发生的事情。懂得这个道理的渔民有时会站在离水较远的地方，尽量不给猎物察觉的机会。

---

(1) 即 tapetum lucidum，拉丁语中意为"明亮的毯子"。

彩色徽章与手电筒

当然，鱼类有时反而希望被发现。珊瑚礁就为它们的视觉创新带来了各式各样的机会。珊瑚生长在热带浅海区域，那里的温度和亮度都比较高。光线让色彩变得美轮美奂，正因为如此，珊瑚鱼拥有了千变万化的美妙颜色。2014年，科学家在3亿年前鲨鱼状的化石生物身上找到了视杆细胞和视锥细胞[1]，这说明地球上的生物早在演化至水生阶段时就已经拥有了色觉。

在那之后，鱼类进化出了能够超越人类的视觉能力。例如，大多数现代硬骨鱼都拥有四色视觉，这意味着与人类相比，它们能看到的色彩更为清晰多样。我们都是"三原色生物"，即我们的眼睛中只有三种视锥细胞，可见光谱十分有限。而拥有四种视锥细胞的鱼眼，有四个独立的色彩信息传递通道。有些鱼类还能看到近紫外光谱中比人类可见光波长短很多的光线，这也解释了为什么已知的22科珊瑚礁鱼中有近一百种鱼的皮肤能够反射大量紫外线。让我好奇的是，鱼是看到身着蓝黄赛车条纹潜水服的潜水者更兴奋，还是看到身着全黑色潜水服的潜水者更兴奋呢？

2010年，科学家经过研究证实了可见光谱范围更广所具有的价值。他们以生活在珊瑚礁中的色彩斑斓、各式各样的雀鲷作为研究对象，关注其视觉通信。科学家选择了生活在西太平洋同一片珊瑚礁中，且外貌极其相似的安汶雀鲷和摩鹿加雀鲷。安汶雀鲷有极强的领土意识，绝不允许同类侵犯自己的领地。但它们如何判断入侵者是不是摩鹿加雀鲷呢？研究者推测视觉在其中发挥着重要的作用。事实证明，每个种类的雀鲷在紫外光谱下都有自己独特的可视面部图案。当研究人员用紫外线照射雀鲷时，它们的面部会出

---

(1) 视细胞分为视杆细胞和视锥细胞，视杆细胞能够辨别明暗，视锥细胞能够分辨色彩。

现奇妙的类似于指纹的点状和弧状图案，不同种类的雀鲷间存在着人类难以察觉但始终如一的差别。在对人工养殖的雀鲷进行识别能力测试时，它们能够用嘴巴准确地碰触同类的照片，以此获得食物奖励。而当研究人员利用紫外滤镜去掉这一视觉信息后，雀鲷就很难通过测试了。不仅如此，雀鲷的捕食者对紫外光谱并不敏感，而雀鲷却能偷偷利用脸部识别系统，无须伪装就能逃脱敌人的视线。这种感觉就好像在化装舞会上，只有你一个人能够认出面具后面的脸。

鱼类有的是办法借助身体颜色表达自我。除了体现物种间的差异外，很多鱼的身体色彩都在向同伴传递着有关性别、年龄、生育状态以及心情的信息。它们皮肤里的色素细胞包含类胡萝卜素和其他呈现出黄色、橘色、红色等暖色的化合物。出现白色并不是因为色素缺失，而是白色素细胞[1]里的尿酸结晶及虹彩细胞里的鸟嘌呤反射光线而成。绿色、蓝色和紫色大部分是由鱼皮和鱼鳞中的结构形成，而且不同的厚度能够呈现出不一样的色彩。想一想色彩斑斓的小丑鱼（就像迪士尼动画《海底总动员》中的尼莫），它们身上的颜色在所有海葵鱼中别具一格，也明确地向其他鱼类发出警告：最好别跟着我，小心我家的海葵用触手狠狠扎你！

如果身着亮色服装有用的话，能换衣服就更棒了。丽鱼和箱鲀这样的鱼类可以通过扩张或收缩含有黑色颗粒的黑色素细胞，快速将身体颜色变深或变浅。比目鱼和烟管鱼能够完美控制身体细胞的扩张或收缩，五彩斑斓的珊瑚礁鱼类尤其擅长改变身体的颜色。它们可以争奇斗艳，吸引潜在的配偶、威胁竞争者，也可以息事宁人，用柔和的身体颜色抚平颇具竞争性的对手或是逃脱捕食者的视线。

我们之前谈到的眼睛会转移的比目鱼，是操控色彩的冠军。它

---

(1) 原注：即 leucophores，源自古希腊语，"leukos" 意为 "白色"。

们能像变色龙一样，将自己隐藏在背景中。我记得高中翻看生物课本时偶然看到过一张令人瞠目结舌的照片，照片中的比目鱼被放置在水箱中的棋盘上。几分钟内，比目鱼的背上就会出现类似棋盘的纹路，从远处看，它就像是消失了一般。这种通过改变皮肤色素分布状态模拟背景的能力，复杂且令人难以理解，视觉和激素都会在其中起到作用。如果比目鱼的眼睛受伤或者蒙上了沙子，就很难将身体颜色与周围环境相匹配，这在某种程度上也说明比目鱼控制身体颜色靠的是意识而非细胞机制。

　　鱼类身边围绕着朋友和敌人，它们想让朋友看到自己，又不想被敌人发现。在靠近水面的透光层（上层带），几乎一切东西都能看得清清楚楚。但是随着海水深度的增加，透光率会呈指数降低。能被看到对鱼来说是头等大事，因此 90% 生活在 100～1000 米深的弱光层（中层带）的鱼都有发光器官，在黑暗中可以当作手电筒使用。再往下，到了 2000 米甚至更深的漆黑一片的无光层（深层带），体内含发光器官的鱼会更多，其中就包括钻光鱼、灯笼鱼以及著名的鮟鱇等。

　　那里大部分的光都来自发光细菌，这些细菌寄生在鱼类体内，和它们有着古老的共生关系。作为借宿的回报，发光细菌为寄主提供了优厚的馈赠。深海鮟鱇是灯光表演方面的专家，它们的头部长有突出的如诱饵一般的"小灯笼"，部分品种的下颌处还悬浮着树状结构的发光器官。这些闪闪发光的装饰物大大增强了深海鮟鱇对潜在猎物的吸引力，它们就像飞蛾扑火一般，在鮟鱇的嘴里葬送了自己的性命。但从另一个角度来说，突然闪现的光也有可能吓跑潜在的猎物。这些发光器官也能在鱼的下方投射微弱的光线提供伪装，这样在来自上方的昏暗光线中，它们就没有那么显眼了。而当鱼类想和同伴共度时光时，这些器官独特的发光模式也能够帮助它们辨认彼此。

�鱼有一种特殊的散发冷光$^{(1)}$的方法。位于雄性�鱼喉咙部分的发光器官（发光细菌）能够向体内发光，光线射到充满气体且能控制浮力的鱼鳔上，经由鱼鳔外面的反光层再次反射光线，并在其透明的皮肤上形成光点。通过控制身体上的肌肉，�鱼能够打造一场灯光秀。大批雄性�鱼有时会聚在一起，合作进行令人眼花缭乱的表演，据科学家推测，这些行为是为了让雌鱼心花怒放，给自己争取一次约会。

灯颊鲷（俗称"灯眼鱼"）是为数不多没有生活在深海但能发光的鱼，它们利用眼睛下方半圆形的多功能发光器官发光。其中的发光细菌能够持续不断地提供光源，但灯颊鲷能够利用盖子一般的肌肉组织随意控制发光器的开合。和�鱼一样，灯颊鲷喜欢聚集在夜晚的浅滩，它们发出的光能够吸引浮游生物，当然也可以让自己发现那些猎物。这些鱼也会利用光线躲避敌人。当危险迫近时，被盯上的鱼会一直开着自己的小灯，直到最后一刻突然熄灭光源，改变方向——这真的需要极大的勇气。恋爱中的灯颊鲷会在岩礁上安营扎寨，如果有不速之客闯入，雌鱼就会奋然游出来，用自己的光线直直照着入侵者的脸，仿佛在说"赶紧给我走"。

深海鱼的灯光秀一般都在蓝绿光谱中，大部分鱼发出的也是蓝绿色光，这可能因为蓝绿色的光在水中的传播速度最快。但也有一种鱼不按颜色的套路出牌：那就是柔骨鱼。它们因硕大的下颌骨而得名$^{(2)}$，灵活的颌骨能让它们轻松张开血盆大口。其中一种柔骨鱼是黑柔骨鱼，因其眼睛下方的发光器官能够发射出强烈的红光而得名$^{(3)}$。对某些鱼来说，这种颜色是由特殊的荧光蛋白产生，而对另一些鱼来说，这种颜色则得益于发光器官之上简单的胶状过滤组织。

（1）大部分生物都能发光，这些光并不能产生热量，因此被称为"冷光"。
（2）柔骨鱼的英文名为"loosejaw"，直译为"松散的颌部"。
（3）黑柔骨鱼的英文名为"stoplight fish"，意为"红灯鱼"。

正是有了负责调整眼睛内色素结构的基因的一点点改变，造物主才让柔骨鱼看到了红色。

一束只有发光者才能看到的光有着极大的优势。一旦拥有了这项技能，这些深海中的捕食者就能放心观察猎物，不用担心自己被发现。其他深海鱼只会间歇性地使用光束，闪烁几下就会停止，唯恐自己被其他鱼发现并吞食，但黑骨柔鱼的胆子很大，它们的"灯"一直亮着，捕食者和它们跟踪的猎物却看不到。对它们来说，这就像是深海里的夜视护目镜。

你被骗了！

显然，鱼类拥有多样且独特的视觉系统。它们能够强化自身视力，让自己变得更显眼或更不显眼，可以表明身份，也可以引诱、排挤或是操控其他对象。

但是鱼类如何感知自己眼里的世界呢？它们有怎样的心理体验，和人类相比又有什么不同呢？

想要了解这一点，可以利用视错觉。如果动物对骗过人类眼睛的视觉图像毫无察觉，我们就能得知它们在观察世界时是无意识的，就和机器人"观察"世界的方式一样。但如果它们也会遇到视错觉，则意味着鱼和我们拥有类似的感知体验。

在《亚历克斯与我》（*Alex & Me*）中，艾琳·派珀伯格记录了自己与一只非洲灰鹦鹉长达 30 年的感人回忆，其中一个令人兴奋的发现是这些聪明的鸟儿也会被视错觉误导。正如派珀伯格所写，这意味着鹦鹉"看到的世界与我们看到的一模一样"。

鱼会受到视错觉的误导吗？在一项针对原产于墨西哥高山溪流中的一种谷鲦科鱼类艾氏异仔鳉的研究中，人们发现这些鱼学会了通过拍打两只盘子中较大的那个来获得食物奖励。一旦掌握了这一技能，科学家就给它们展示艾宾浩斯错觉（见图1）。图片里有两个大小一样的圆盘，但被大圆盘包围的圆盘看起来更小（至少在人类看来是这样）。而艾氏异仔鳉选择了后者。

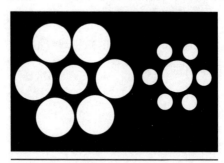

●图1　艾宾浩斯错觉

这一结果显示艾氏异仔鳉并非无意识地观察世界，也并不依赖于条件反射。相反，它们会根据自己的观察做出反应——虽然有些时候这些反应并不可靠。在另一项早期的研究中，人们发现艾氏异仔鳉也会落入缪勒－莱尔错觉的圈套（见图2）。在这个视错觉图像中，两条一样长的水平线似乎呈现出不一样的长度，而被人们训练要去选择长线的鱼，都会选择线条B。

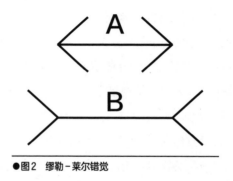

●图2　缪勒－莱尔错觉

针对金鱼和斑竹鲨的研究也显示它们会受到视错觉的误导。金鱼经过训练可以辨认出白色背景上的黑色三角形和黑色正方形后，研究者就会给它们展示卡尼萨三角或卡尼萨正方形，它们也能顺利区分开。这一视错觉（见图3）由意大利心理学家加埃塔诺·卡尼萨在20世纪50年代提出，在这张图片中，即使没有真的三角形被描画出来，我们也会看到一个明显的白色三角形。这说明，金鱼和我们一样，也会经由大脑将不完整的图像自动补全。

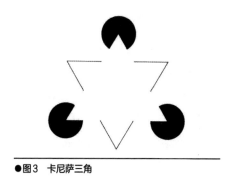

●图3　卡尼萨三角

能够补全图像的谷鳉、金鱼和斑竹鲨并非个例，人们只是恰好挑选了这些鱼进行研究而已。谷鳉和金鱼只是远亲的事实，似乎也能说明还有很多鱼会被错觉误导。之所以选择这些鱼，多半是出于一些更功利的原因，比如它们的人工饲养技术更成熟，选作研究对象更为方便。对动物进行严谨的研究需要花费大量的时间、精力以及金钱，因此，我们目前对鱼的感知世界的了解很可能只是冰山一角。

在生存游戏中，鱼能够自己制造假象，误导其他鱼类。其中一个方法是将捕猎者的攻击目标从自己重要的身体部位上移开。出于最简单的理由，捕猎者常会攻击猎物的头部，一击致命。水中的捕猎者更倾向于攻击眼睛，正因为如此，很多鱼都进化出了极具欺骗性的眼状斑点，比如丽鱼、蝴蝶鱼、刺盖鱼、鲀鱼、弓鳍鱼等。鱼也能通过各种花样升级自己的欺骗能力。和人一样，它们更容易注意到鲜亮的色彩，因此那些具有欺骗性的眼状斑点通常都是惹眼的亮色，而另一端的真正的眼睛则不那么引人注意。主刺盖鱼的幼鱼身上虽然没有眼状斑点，但其眼睛周围蓝白相间的环状图案能起到同样的作用，将真正的眼睛藏在迷宫般的弯曲线条中。捕食者发动攻击时通常没有时间做出精准的判断，于是这些色彩的小伎俩就帮了这些鱼的大忙。

另一种增强迷惑性的方法是让鱼尾变成鱼头的模样。亮丽鲅身体的后半部分和鹦嘴鱼的头部很像，而它真正的眼睛则藏在遍布全身如星系般的白色斑点下，就连眼睛本身也长了白色斑点。行为上的假动作能进一步增强迷惑效果。科学家已经发现有两种蝴蝶鱼可以"倒车"，它们在第一时间发现危险后会慢慢向后游，如果狩猎者突然袭击，它们则能超速向前。如果它们游得足够快，狩猎者很有可能会扑个空。对于蝴蝶鱼来说，比起头部被咬掉，如果仅仅是尾巴掉块肉的话，活下来的概率会更高一些。

鱼类会像我们一样被错觉误导，还会被即将到手的猎物戏弄，这一点很有意思。它证明了另一个物种在自己感知的"周围世界"中，能构建出并不存在的东西。这是"相信"的能力，而这种能力和感知力都是可以后天开发的。正如我们已经了解到且将会更多了解到的，为了增加自己的成功概率，鱼类会利用一系列视觉及其他方面的骗术。

作为视觉高度发达的生物，我们或许能够意识到拥有敏锐视觉对于大部分鱼来说的重要性。我们在儿时游戏中体会过双眼被蒙住后的迷茫，也惊叹于盲人能够沉稳应对生活中的挑战。一条鱼——哪怕是一条生活在没有光线的深海里的鱼——能否在失去视力后长久地活下去，我们无从得知。但鱼类并非只依赖视觉，和我们一样，它们也进化出了能够应对生存需求的其他感官。

鱼的听觉、嗅觉与味觉

宇宙间充满了神奇的事物，耐心等待着我们去发现。

——伊登·菲尔波茨

水不仅能影响鱼的动态视觉，还会影响其听觉、嗅觉和味觉。水是声波的绝佳导体，声波在水中的长度是在空气中的五倍，这也意味着声音在水中的传播速度是在空气中的五倍。自从有了骨骼和鱼鳍，鱼类就利用声音的这一特点进行定位与交流。水也是水溶性化学物质的绝佳介质，便于鱼类感知味道和气味。虽然这些物质在水中混为一体，鱼类身上仍然有独立的嗅觉和味觉器官。

就像鱼类拥有色觉一样，它们也进化出了听觉。虽然人们普遍认为鱼类不能发声，但其实与其他脊椎动物相比，它们有着更多的发声方法。这些方法与脊椎动物利用空气振动薄膜发声不同。鱼类能够快速收缩肌肉，振动鱼鳔，以此达到扩音的效果。除此之外，鱼的发声途径还包括：摩擦颌部的牙齿，摩擦排列在喉咙里的咽喉齿，摩擦骨骼，摩擦鳃盖，甚至正如我们能看到的——从肛门中排出泡泡。一些陆生脊椎动物在制造非发声部位的声音方面很有创意，比如啄木鸟敲击木头的声音、大猩猩拍击胸脯的声音等，但是这些鱼的陆生亲戚只有两种发声器官——鸟类的鸣管以及其他动物的喉咙。

配备着如此齐全的发声设备，鱼类完全有可能创作出名副其实的交响乐，尤其擅长打击乐。它们能发出低哼声、口哨声、砰砰声、摩擦声、嘎吱声、呼噜声、爆裂声、呱呱声、心跳声、鼓声、敲击声、咕噜声、哈气声、滴答声、悲叹声、喳喳声、嗡嗡声、咆哮声以及啪啦声。这些声音如此引人注意，以至于人们根据声音给一些鱼起了名字，比如石鲈（grunt）、石首鱼（drum）、管口鱼（trumpeter）、鲂鮄（sea robin）以及断斑石鲈（grunter）[1]。我们进化出的耳朵，是为了感知空气中而非水中的振动，因此，时至今日，我们依然听不到鱼类发出的大部分声音。直到20世纪，随着水下声音探测技术的发展，我们才逐渐认识了那些可以发声的鱼类。

事实上，在20世纪30年代以前，科学家一直认为鱼是听不到声音的。会出现这种偏见，可能是因为鱼类没有露在外面的听觉器官。当人类从自己的角度出发去观察世界时，会认为没有听觉器官就意味着没有听觉能力。现在我们明白了，正因为水的不可压缩性，鱼并不需要耳朵。而这一特性也能够解释为什么水是声音的绝佳导体。直到我们探查了鱼的内部构造后才发现，为了发出声音、感知声音，鱼类已经进行了自我优化。

因发现蜜蜂的舞蹈语言而闻名于世的奥地利生物学家卡尔·冯·弗里施（1886—1982），也曾研究过鱼类的行为与感知。1973年，冯·弗里施因对动物行为学研究做出的突出贡献获得诺贝尔奖，而早在此几十年前，他就首次证明了鱼类有听觉。20世纪30年代中期，他在实验室里用一条名为泽韦尔的失明鲇鱼设计了一个简单却独具创新性的研究。他把木棍上系有肉片的一端伸进水中，靠近泽韦尔经常待在里面的黏土"住所"。嗅觉极佳的泽韦尔会很快从里面出来获取食物。这个动作重复了几天后，冯·弗里施开始在投食之前吹口哨。六天之后，他一吹口哨，泽韦尔就会从里面出来，由此证明了鱼能听到他的声音。这个实验以及后续的研究对我们进一步了解鱼

---

[1] 这几种鱼的英文名原意为咕哝声、鼓声、小号手、海里的知更鸟以及猪哼声。

类的"周围世界"有着重要的意义[1]。

泽韦尔属于一个进化成功的族群，它们被称为"耳鳔系"，约有8000 个物种，包括鲤鱼、米诺鱼、脂鲤、电鳗和刀鱼等。它们进化出了一种特殊的听觉器官韦氏小骨（Weberian ossicle），这一名称是以其发现者，19 世纪德国物理学家恩斯特·海因里希·韦伯的名字而命名的。韦氏小骨由一系列小骨头组成，位于鱼头骨后面的前四块椎骨两侧。这些骨头与椎骨分离，如链条一般连接着充满气体的鱼鳔和内耳周围充满液体的区域。它能够增强听力，作为声波的导体和扩音器，其工作原理和哺乳动物的听小骨类似。

在某些方面，鱼的听力比人类要好。大部分鱼能听到的声波范围在 50 ~ 3000 赫兹，居于人类的 20 ~ 20000 赫兹之间。但在人工和野生环境下的细致研究已经证明了鱼类对蝙蝠听力范围上层的超声波十分敏感，其中美洲西鲱和大鳞油鲱的听力范围都可达到180000 赫兹，远高于人类的上限。而这一点，也是它们为了窃听狩猎者海豚发出的超声波而进化出的本领。

在听觉谱系的另一端，鳕鱼、鲈鱼和某些比目鱼等能听到低至1 赫兹的次声波[2]。没有人准确知道为什么这些鱼能听见超低的声音，但或许它们居住的广阔水生环境能给我们一些线索。海洋和大型湖泊内的水并不会随意流动。全球不同气候类型的交互会形成洋流，当地天气变化产生波浪，月球的引力则带来潮汐。流动的水流会冲击悬崖、沙滩、岛屿、岩礁、大陆架及其他水下障碍物。所有这些力量结合在一起会形成环境次声。挪威奥斯陆大学的生物学家认为鱼在迁移时会借助声音信息辨别方向，就像鸟儿借助天空中的线索

（1）原注：我最初读到的有关冯·弗里施实验的文献中指出那条鲇鱼本来就是失明的，但后来我了解到冯·弗里施为了做实验，用手术摘除了泽韦尔的双眼。冯·弗里施大概对此非常愧疚，因为他给这条鲇鱼起了名字，还在自传中提到，他的努力是为了"让小小的失明生物能够在水中更加舒适"。

（2）频率小于 20 赫兹的声波即为次声波。

飞翔一样。生活在海洋上层（开阔大洋）的鱼能够觉察到因遥远陆地构造和水深不同而导致的洋面波浪变化。部分头足类动物（章鱼、鱿鱼等）和甲壳动物也对次声十分敏感 —— 这进一步证明了它的实用性。

鱼类敏感的听觉系统意味着它们在面对人类制造的水下噪声时格外脆弱。例如，当鱼听到海洋石油开采过程中使用的气枪所发出的高强度、低频率的声音时，其内耳处排列着的细小的毛细胞会遭到严重破坏。挪威沿海地区勘探中使用的气枪会带来地震般的威力，其产生的强烈噪声直接导致了附近大西洋鳕和黑线鳕的种类减少、捕获量下降。

有些鱼还能探测到声音的快速脉冲，我们听起来持续的口哨声，在它们听来则是多个单独的声音。它们还很擅长辨别声音来源，能够准确判断出声音来自前方还是后方、上方还是下方 —— 而这样的感知任务，人类大脑并不擅长。

99% 经由空气传播的声音都会被水面屏蔽，因此，即使是聚集在岸边的鱼，也不太可能听到一群人在海滩上的谈话。然而，借助空气传播的声音一旦经过了固体，比如船桨碰到船边而发出的声音，则很容易被鱼感知到。这也是船上的垂钓者会一直保持安静，以及有经验的渔夫会在换新地点之前远离海岸的原因 —— 他们知道鱼能探测到经由地面而来的震动。

如果我们认真聆听，也能听到鱼的声音。位于加纳大西洋一侧沿岸的渔夫用一种特制的船桨作为音叉。将耳朵紧贴在船桨边，经验丰富的渔夫就能听到附近鱼儿的咕噜声和呜呜声，旋转船桨的平面则能知道鱼的大概位置。在某种程度上，鱼儿灵敏的听觉对垂钓者也很有利，因为很多鱼意识不到自己听到的在前面的虫子，很不幸就是钓钩上的诱饵。

然而，鱼的听力可以很好地帮助它们迁移、躲避捕猎者，而且大部分声音都有社交作用。以锯脂鲤[1]为例：比利时列日大学的生物学家埃里克·帕尔芒捷和葡萄牙阿尔加维大学的桑迪·米约在养着纳氏臀点脂鲤的水箱内放置了水听器，他们记录到了一系列声音，其中三种很常见。第一种是向其他鱼发出挑战时的重复的呼噜声或吠声。第二种是群体中体形最大的鱼在攻击或打斗时发出的低沉的砰砰声。这两种声音是由鱼鳔周围的肌肉快速抽动而形成的，其频率可达每秒 100 ~ 200 次。第三种声音是锯脂鲤磨牙或在追逐另一条鱼时牙齿迅速咬合发出的声音。这些描述听起来十分凶残，符合锯脂鲤肆意捕食、好战爱斗的性格特征。但实际上，大部分锯脂鲤都是食腐动物，对人类造成的威胁很小。

鱼会借助声音实现交流，那么，它们能否通过声音与人类沟通呢？据我所知目前没有相关的科学研究，但曾有过很多说法。来自华盛顿的计算机科学家卡伦·章在 75 升的水缸中养着四条被救回来的金鱼，据她说，这些金鱼会在进食的时间和自己沟通。如果到了喂食的时间，卡伦和丈夫却无动于衷时，他们的金鱼就会游到水面上，用嘴发出啪啪的响声。鱼儿们还会摔打自己的身体，用尾巴拍击水缸，明显想要引起主人的关注。它们制造的声音在房间的另一端都能听到。有人靠近鱼缸时，它们就会安静下来。"似乎它们能感觉到，"卡伦说，"一旦我们走近鱼缸，它们就会立刻停止那些动作，游到玻璃边。我家的金鱼不会像医生候诊室里的鱼那样对人熟视无睹。"

美国国立卫生研究院的临床协议管理员萨拉·肯德里克，也在自己饲养了三年的 20 厘米长的黑边角鳞鲀身上发现了类似的行为。这条名为弗彻巴的鱼会在固定的喂食时间，衔着卵石敲击鱼缸的墙壁。这已经不单单涉及种间交流，还涉及对工具的使用（我们之后也将介绍鱼类对工具的使用）。

---

(1) 锯指鲤亚科下的一些成员被称为"食人鱼"。

鱼的 D 大调协奏曲

　　鱼类拥有敏锐听觉的另一个证明是它们可以辨别声音的音调，也就是说，它们可以辨别音乐。哈佛大学的科学家艾娃·蔡斯就致力于研究鱼类能否区分如音乐一样复杂的声音。她用从宠物商店里买回来的三条锦鲤进行实验，并分别将其命名为贝蒂、奥罗和佩皮。蔡斯在鱼缸里配备了复杂的设备，包括侧边能够扩音的音箱，安置在底部、能够让鱼碰到的感应按钮，一个表示鱼类的反应已经被接收的指示灯，还有一个放置在水面附近的投食器——当鱼做出了正确的反应并游到水面上时，可以从投食器中得到食物奖赏。之后蔡斯开始对鱼进行训练，当鱼听到特定流派的音乐并做出回应时，会得到小食团的奖赏，而当它们在播放其他流派的音乐时做出回应，则得不到奖赏。蔡斯发现锦鲤不仅能区分蓝调音乐（约翰·李·胡克的吉他和人声）和古典音乐（巴赫双簧管协奏曲），还能总结两者的差异，播放它们没有听过的艺术家和作曲家的作品时，它们能够进行分辨。比如，一旦锦鲤熟悉了穆迪·沃特斯的蓝调音乐后，就能识别出与之相似的蓝调艺术家可可·泰勒，古典音乐的贝多芬和舒伯特也是如此。在这三条鱼中，奥罗的听力特别好，它能够辨认出音色相同，只有音符的音高和音长不同的音乐。[1]蔡斯总结道："锦鲤似乎能够辨别出和弦和旋律类型，甚至能根据艺术风格对音乐进行分类。"

　　尽管锦鲤和金鱼身怀鉴赏音乐的能力，科学家并不认为它们能够利用声音交流（卡伦·章的观察或许可以驳斥这一结论）。因此，人们仍然会疑惑，既然和周围环境融为一体有很大帮助，为什么一条沉默的鱼会拥有辨别声音的技能呢？

---

[1]　原注：蔡斯在 2001 年的研究报告中提及，其他一些脊椎动物也具备辨认音乐的能力，比如鸽子、禾雀以及一小部分老鼠。

能够发现不同音乐中细微（以及不那么细微）的差别是一回事，但真正让我感到好奇的是，这对鱼的心理会有哪些影响呢？鱼是真的会欣赏音乐，还是只是条件反射呢？

雅典农业大学的研究团队决定就此展开研究。他们将240条鲤鱼分别养在12个长方形水缸里，并随机分成3组：一组是没有音乐的对照组；一组播放莫扎特《G大调弦乐小夜曲》中的浪漫曲（行板）；另一组播放出现在1952年法国电影《禁忌的游戏》中，并一直沿用该名字的19世纪佚名浪漫曲《爱的罗曼史》。这两段音乐分别为6分43秒和2分50秒，两组鱼要在106天的时间里每天听4个小时。这一活动仅在工作日进行，就像普通的上班族一样，鱼儿们周末也会放假（大概也是因为科学家们周末放假）。

两组受到音乐熏陶的鱼的生长速度要快于对照组的鱼。音乐组的鱼的摄食转化率（单位食物的生长速度）、成长速度以及体重的增加速度都要比没有听音乐的鱼高，肠道功能似乎也更好。而当这些鱼听到的是噪声或人声时，则不会出现上述变化。

动物研究所面临的一个主要挑战是研究对象无法用人类可以理解的语言表达感受。在数据的帮助下，我们只能猜测鲤鱼对音乐的反应是积极的还是消极的。怀疑论者也可能会提出，鱼的刺激式生长，不是因为喜欢音乐，而是试图摆脱持续不断的小提琴和双簧管演奏。对此，我也不得不说，虽然我很喜欢古典音乐，但反复听同一首曲子确实是一种折磨。

那么，是不是也存在另一种可能性，即鱼的生长并非出自主观意识，而是对物理刺激的机械反应呢？上述的希腊科学家曾在之前的研究中发现金头鲷对实验中唯一使用的莫扎特音乐有积极的反应，比如食欲增加，消化能力增强，但这种鱼的听力其实非常有限，而且听到的声音都很模糊。不仅如此，我们也要提防神人同形同性论，这种认为人类喜欢的音乐，鱼也一定会欣赏的观点本身就是一种偏见。或许，对鱼类来说，任何声音都好过没有声音。从这一点来看，无声音组应该换成非音乐类声音组。

早在一个世纪前，人们就发现病人听着自己喜欢的音乐时会更加放松，疼痛感也没那么强烈。2015 年，一项针对 7000 多位病人的 70 个临床实验表明，在手术前、手术后甚至手术进行过程中，音乐都是一种有效的治疗手段，它能够缓解病人的焦虑，降低其对止痛药的需求。在我看来，音乐 ——或者更宽泛地说是一系列有系统、有音调的声音 ——可以深入我们的体内，带来疗愈效果。因此，对音乐的鉴赏能力或许广泛存在于自然界之中。

当我询问前面提及的希腊研究团队的参与者、生物学家纳弗斯卡·卡拉卡楚里时，她并不认为鲤鱼一定能够欣赏音乐："我并不确定音乐能够给鱼带来实质性的积极影响。水下没有音乐。但确实有很多源于自然界的，且与鱼类水下生活关系更为密切的声音，会对鱼产生影响并带来更好的结果。即便如此，我们检测过的一些鱼，特别是听力极佳的鲤鱼，确实在播放音乐时有良好的表现。"纳弗斯卡认为，如果能让鲤鱼选择它们更愿意待在有音乐的环境中还是无音乐的环境中，或许是一个更好的实验方法。

鲱鱼发出的声音并不优美，但其独特的发声方式却足以赢得鱼界的格莱美奖。这种方法曾在一份论文中被提及，我们姑且将其称为"胀气交流法"。太平洋鲱和大西洋鲱都会在放屁时从肛门处排出气泡，这种因气流而发出的独特爆炸声被研究人员戏称为"快速重复信号（FRTs）"[1]。一轮"快速重复信号"可持续长达 7 秒 ——你可以自己在家试试！这些气体很可能来源于肠道或鱼鳔。目前我们尚不清楚这些声音在鲱鱼社会中起到什么作用，但区域内的鲱鱼密度越高，这些声音也越多，因此不难猜测其中包含社交功能。目前

---

〔1〕 "快速重复信号"的英文首字母缩写"FRTs"与单词"屁（fart）"的发音类似。

也还没有证据显示鲱鱼会出现听不清的情况。

鲱鱼的"快速重复信号"能很好地将我们的注意力从鱼类的听觉转移到嗅觉。那么，接下来，我们一起来了解一下鱼类的嗅觉和味觉。

良好的嗅觉

死鱼很难闻，而活着的鱼有很好的嗅觉。鱼类会利用化学信号（我们所谓的"气味"）寻找食物、寻找伴侣，也会据此发现危险、找到回家的路。气味在水生环境中很重要，因为在漆黑的水下，视力基本上起不了什么作用。有些鱼甚至只靠气味就能认出同类。例如，刺鱼会通过气味确认伴侣，而在这种情况下，另一种与之气味相似的刺鱼，则会让它承担交配错误的风险。

鱼类的嗅觉器官千差万别，但除了鲨鱼和鳐鱼，30000多种硬骨鱼均有着类似的器官结构。与其他脊椎动物不同，鱼类的鼻孔并不能同时起到嗅闻和呼吸的作用，只能用来闻气味。鱼的鼻孔都是由组成嗅觉上皮组织的好几层细胞构成，这些细胞能够卷起来节省空间，形成玫瑰花式的样子。有些鱼可以扩张、收缩鼻孔，几千根细小的纤毛依次舒展，不断地将水吸入感觉器官，继而将其排出。上皮细胞发出的信号会传送到大脑前端的嗅球。

嗅觉对于部分鱼类来说极其重要，而这也是鱼类拥有绝佳嗅觉的证据之一。红大麻哈鱼能够在一亿分之一的密度中感受到虾的存在，这相当于人类能在奥林匹克标准大小的泳池中察觉到五茶匙的量。而其他鲑鱼能够感知稀释到八百亿分之一浓度的海豹和海狮的气味，这相当于同一个泳池中2/3滴水的量。鲨鱼的嗅觉比人类厉害10000倍。但到目前为止我们所知的鱼类嗅觉冠军是美洲鳗鲡，它们能在标准大小的泳池中探测到约千万分之一滴的来自家乡的水。就像鲑鱼一样，鳗鱼也能跟随由弱到强的气味，长途迁徙回到特定的产卵地。

鱼类最实用的技能之一是能在面临危险，比如面对掠食性鱼类或渔民时，释放出"警告信号"。我们应该再一次感谢卡尔·冯·弗里施，是他发现了鱼类感官世界中的这一现象。在不小心伤害了自己饲养的一条小米诺鱼后，他发现水箱里的其他鱼要么窜来窜去，要么待在原地——而这些都是典型的躲避捕猎者的行为。冯·弗里施和其他人的实验显示，受伤后的米诺鱼（也包括其他鱼）会释放出某种信息素引发同伴的社交回应，而察觉到这种特殊信息素的米诺鱼会变得非常焦躁。这类信息素被冯·弗里施称为"报警物质"[1]。

能够释放出报警物质的细胞存在于皮肤中，非常敏感，哪怕鱼被放在湿纸上，这些细胞也会破裂并释放出信息素。这种信息素威力巨大：一条鱼的身体上有千分之一毫克的皮肤损伤，和它一起生活在14升水族箱里的其他鱼就会出现惊吓反应。这就像是将一个棉花糖切成两千万块，并将其中一块（如果你还能看得见的话）放入盛满水的水槽中，之后还得试着去感受棉花糖的甜味。多种硬骨鱼都可以释放出这种物质，由此也能看出，报警物质经历了漫长的演化。

作为一种灵活的信号，报警物质的作用类似于火灾报警器，周围的鱼，甚至不同种类的鱼都能从中察觉到危险。以胖头鲅（一种米诺鱼）为例：吞食了胖头鲅或溪刺鱼的白斑狗鱼的粪便中有一种特殊的气味，这是因为这两个可怜虫的皮肤都能释放出报警物质，而当胖头鲅闻到这种气味后，就会迅速躲起来或集结成紧密的鱼群。但如果白斑狗鱼只吃了不能释放报警物质的剑尾鱼，胖头鲅就无法

---

(1)　即 schreckstoff，字面意为"恐怖的东西"。目前暂没有准确的学术译法，姑且译为"报警物质"。

意识到危险。这一点也说明，能让胖头鳑做出反应的并不是白斑狗鱼本身的气味，而是它嘴下的猎物所散发出的报警物质。这些米诺鱼或许是因为有了敏锐的嗅觉，才让自己免于成为白斑狗鱼的粪便。

报警物质反应证明了鱼能从水下化学物质中提取出细微的信息。但报警物质并不是鱼类通过气味辨别敌人的唯一途径，它们还可以直接闻出捕食者的气味。幼年短吻柠檬鲨就可以察觉到时不时以自己为食的美洲鳄的气味。而如果你是一条大西洋鲑，辨别气味这件事就取决于你的天敌最近在吃什么。在英国威尔士斯旺西大学的一项研究中，科学家让没怎么见过捕食者的幼年大西洋鲑生活在含有天敌欧亚水獭少量粪便的水中。只有闻到吃过鲑鱼的水獭的粪便后，鲑鱼才会表现出恐惧。它们会远离气味来源，静止不动，加速呼吸。而被放置在清水或含有不吃鲑鱼的水獭粪便的水中的鲑鱼，则没有什么反应。科学家据此得出结论，大西洋鲑并不会天生将水獭视为威胁——只有在吞食了它们的同类后，水獭才成为它们的敌人。这一点表明，鱼类探查捕食者的系统非常实用，它们并不需要掌握不同捕食者的气味，只需要探测出谁曾经吃过自己的同类就可以了。

在生存游戏中，能够和躲避捕食者相提并论的，恐怕就是鱼类对性的需求了。正如香气能够激发人类的性欲一样，在鱼的世界中，性信息素也是促使它们性致盎然的关键。一方面，性信息素能够帮助鱼类确定处在发情期的同伴，它们可以感知细微的线索，并充分利用。20 世纪 50 年代的实验显示，如果将处在发情期的雌性褶鳍虾虎鱼水缸中的水倒入雄性的水缸里，这些雄性褶鳍虾虎鱼立马就会开启求偶模式。雌性也是同样敏感积极。生活在墨西哥热带水流中，体长 5 ~ 8 厘米的雌性伯氏剑尾鱼，能够分辨出雄性同类的营养状况。我们不难猜测它们会更中意哪一类：在其他条件相同的情况下，营养状况良好的鱼更占优势，交配的概率更高。但雌性剑尾鱼无法通过气味辨别出同性鱼的营养状况，这也意味着它们不仅参考进食后的排泄物，也能感知到雄鱼的性信息素。

到目前为止，我们一直将鱼的感官系统作为单独的部分进行研究，但实际上它们需要联合在一起。雄性鮟鱇向我们证明了感官之间的相互配合。全球顶级的鮟鱇研究专家特德·皮奇表示，雄性鮟鱇的鼻孔与头部大小之比是所有动物中最大的。他的作品《海洋鮟鱇》（*Oceanic Anglerfishes*）详细记述了有关这种奇异鱼类的信息，并配有丰富的插图。

雄性鮟鱇身上发达的感官并非只有鼻子，它们眼睛的构造也很好，而皮奇认为，嗅觉和视觉两种感官，能够协力帮助雄性鮟鱇在漆黑的深渊中找到心仪的姑娘。雌性鮟鱇能够释放出一种特有的信息素，而雄性鮟鱇凭借良好的嗅觉能够找到同类。这一点非常重要，因为目前已知有超过 162 种鮟鱇生活在世界上最大的栖居地里，你可不想和其他鱼配错了对。当雄性鮟鱇靠近雌性时，它能借助对方发出的光，以及雌性"小灯笼"附近的发光细菌来判断它是不是自己心仪的对象。我们甚至可以想象，在古老的深海中，深海鮟鱇之神说："要有光！"于是在那之后，鮟鱇的求偶过程中便少了许多猜测。

有关鱼类的嗅觉还有一点需要说明。很多保守的科学研究认为，鱼类释放化学物质进行沟通这一行为本身是被动进行的，并不受意识控制，因为鱼类并没有外部的嗅觉器官或典型的嗅觉行为。这是一个不太能站得住脚的假设。2011 年有关伯氏剑尾鱼的研究就能说明这一点。在它们居住的水流湍急的地方，雄鱼为了确保雌鱼感知到自己的信息素，会采取至少两种措施：一是在雌性在场时，雄鱼会更加频繁地小便；二是在求偶过程中，雄鱼会待在雌鱼的上游方向。

不论是好是坏，这意味着除了能闻到雄性的交配意愿外，雌性伯氏剑尾鱼还能尝到它。那么，鱼还能尝到其他哪些东西呢？

鱼的味觉

鱼类的味觉主要用来辨别食物。两栖动物、爬行动物、鸟类以及哺乳动物等其他脊椎动物的主要味觉感受器是味蕾。鱼类也有一系列牙齿，共分8种类型，包括能咬断食物的门齿、尖利的犬齿、能磨碎食物的臼齿、能分割食物的扁平的三角齿，还有能将珊瑚上的海藻刮掉的类似鸟嘴的牙齿。

和人类一样，鱼也有舌头，也有连接着能将味觉信号传递给大脑中特殊神经的味觉感受器。和我们一样，大部分鱼的味蕾都在嘴巴和喉咙里。但由于鱼生活在自己能闻到且尝到的介质中，有一些鱼的味蕾也长在身体的其他部位，比如嘴唇和鼻子上。鱼是拥有味蕾数量最多的动物。一条38厘米长的斑点叉尾鮰，全身（包括鱼鳍上）布满约68万个味蕾——其数量相当于人类的100倍。它们与其他生活在阴暗水域中的鱼一样，会用味觉感知周围环境。（我尝试了一下，但还是完全无法想象全身上下都是舌头会是怎样一种感觉，但我很确定自己应该会需要一个"关闭"按钮。）对于生活在巢穴里的鱼来说，拥有味蕾是一种优势，它们能用高度精准的味觉感知系统在黑暗中顺利觅食。很多生活在水底的鱼，比如鲇鱼、鲟鱼和鲤鱼，都长有触须，这种嘴巴周围如胡须一般的感受器，可是它们的嗅觉雷达。

你或许会想问鱼为什么需要味觉——这其实就和人类需要味觉是一个道理。不同种类的鱼会有自己偏爱的食物，甚至每条鱼的喜好也不同。鱼需要一些时间来判断食物是否对自己的胃口。如果你仔细观察水族馆里的鱼，就会发现它们有时会先吃一小口食物，然后吐出来，如此反复几次，才会最终决定是否把它吃进去。总的来说，同一种类的鱼，以及同一种类中不同种群的鱼，对于食物会有不同的喜好。人类也是一样，种族相同并不代表个体的喜好也相同。

想想有人喜欢有人不喜欢的小圆白菜，吃辣或不吃辣的选择，以及现代令人眼花缭乱的咖啡类型。针对虹鳟和鲤鱼的研究表明，挑食的鱼还不少呢。

鱼类对于自己不喜欢的味道的反应和我们一样。如果我们不小心吃到坏了的水果或蔬菜，会马上吐出来（如果是在公共场合，则会尽可能优雅地完成这一动作），而太平洋油鲽表达厌恶食物的方式则是狠狠扭过头，迅速游开，不停地摇头或点头。《水族馆及野外环境中的鱼类行为》（*Fish Behavior in the Aquarium and in the Wild*）一书的作者斯特凡·雷布斯描述了鱼在吃到有毒且味道极其难闻的蝌蚪期的蟾蜍后的反应："一条饥不择食的鲈鱼或许会在走投无路时委屈自己去吃蝌蚪期的蟾蜍。但其他误食了蝌蚪期蟾蜍的鱼，则会猛烈摇晃自己的身体，你甚至能看到它们脸上的苦相——菜单上出现蝌蚪对于鱼来说绝不是一件好事！"

生活在密度相对较高的水中会给鱼带来一些限制，但它们也因此获得了陆生动物所不具备的感官知觉。你能想象利用电流脉冲和自己的邻居进行交流吗？在下一章节里，我们将介绍一些主要感官之外的，鱼类拥有但人类并不熟知的感知世界的方式。

导航、触觉及其他

等待时，最微小的碰触也会变成电光石火。

——华莱士·斯特格纳

为了满足自己的需求，鱼需要四处游动。如果想要顺利地生存并繁衍，它们需要在特定的时间出现在特定的地点。就像人类一样，鱼需要在一天内的不同时间去不同的地方，比如进食处、躲避与休憩处以及清洁处。在一年内的不同时间里，鱼要回到特定的地方交配、产卵、筑巢。身处复杂的环境中，鱼面临着来自居住环境的巨大挑战。

鱼是绝佳的航海家，无论是短程还是长途，它们总能用各种各样的方法找到方向。视力很差的穴居鱼生活在相对狭小的洞穴中，但大部分鱼完全生活在黑暗里，因此良好的方向感对它们来说非常重要。前进水流遇到障碍物会形成逆行的湍流，这些小鱼能够感知湍流，记住通往目的地途中一系列障碍物的顺序。剑鱼、鹦嘴鱼以及红大麻哈鱼可以根据太阳的角度，利用日光罗盘设定方向。其他鱼则会使用航位推测法——从参照点出发，随性地开启一段全新、未知的探索之旅，之后再按原路返回。

鲑鱼的航海事迹可谓传说。在广袤大海里生活多年后，它们还能回到自己的出生地产卵。这项溯河产卵的技能是自然界中最绝妙的内置全球定位系统。据人类所知，为了使用好这项技能，鲑鱼需要调动至少两个或三个感知器官，即地磁感应、嗅觉以及可能会用到的视觉。

就像鲨鱼、鳗鱼和金枪鱼一样，这些长途旅行的鱼能够感知地球磁场并据此辨别方向。这一点体现在细胞层面上，鲑鱼的单个细胞内含有磁极晶体，其作用相当于指南针的磁针。来自德国、法国和马来西亚的科学研究团队，将鳟鱼（鲑鱼近亲）鼻腔通道中的细胞分离后放置在旋转的磁场中，发现细胞自身也可以旋转。磁性微粒紧紧附着在细胞膜上，如果不断将其拉向磁力线，这些微粒还能在鲑鱼改变活动方向时，在细胞膜表面产生扭转力。但这种扭转力一定是直接转化为某种鲑鱼能感受到的应力了，因为有证据表明，鲑鱼可以感受到这种力量。

鲑鱼还会利用自身惊人的嗅觉。顺流而下游向大海时，年轻的鲑鱼会记下沿途水域中的化学物质。几年后，它们追踪着家乡水特有的气味特征，沿着原路返回。生物学家为了研究，去除了部分鲑鱼的鼻子，这些丧失了嗅觉能力的鲑鱼会迷失在溪流中，而嗅觉完好的鲑鱼则能顺利回家产卵。

在另一个不太残忍的实验中，由威斯康星大学已故科学家亚瑟·哈斯勒领导的同一个研究团队，将一群年幼的淡水银大麻哈鱼分为两组，每组鱼生活的水中分别加入无害但散发着香气的吗啉和苯乙醇。经过了香味熏陶后，两组鲑鱼被一起放进密歇根湖。一年半后，在鲑鱼为产卵而进行迁移时，研究人员将吗啉滴入一条溪流，将苯乙醇滴入 8 千米之外的另一个流域。几乎所有在吗啉流域被重新捕到的鲑鱼都来自原来的吗啉组，而几乎所有苯乙醇组的鲑鱼都游到了另一个流域。

鲑鱼在洄游过程中是否也会借助视力呢？为了弄清这一点，来自日本的研究团队将红大麻哈鱼捕捉后再次放生。在放生之前，科学家向红大麻哈鱼的眼睛中注射了碳粉和玉米油，使之失明。5 天后进行重新捕捞时，只有 25% 的失明鲑鱼成功回到了出生地，而未受影响的鲑鱼群内则有 40% 回到了目的地。研究人员据此得出结论，认为红大麻哈鱼在洄游途中借助了视觉。但我对这一结论持怀疑态度。我认为红大麻哈鱼的眼睛被注射陌生物质后失明导致的痛苦、压力以及接连发生的迷失感才是洄游成功率低的主要原因。为了更好地控制变量，研究人员应该给鲑鱼注射与之相似但又不会导致失明的试剂。不过即便如此，我也不建议进行这样的实验。

压力感应器官

除了独自行动外，鱼类还有其他的导航系统可以密切跟进周围鱼类的活动。就像成群的鸟会在飞行过程中利用视觉和一触即发的条件反射保持队形一样，成群的鱼在变更方向时看起来也像一个整体，仿佛它们是彼此肚里的蛔虫，知道下一步对方要往哪里走。我们并不知道其中是否有领导者，又或者只要有一条鱼行动，就会出现一系列连锁反应。

早期自然学家将这种行为归为心灵感应，但对鱼类行为视频进行慢动作分析后，科学家得出了一个更真实的解释。鱼群在移动过程中会出现极短暂的动作延迟，这表明鱼是根据同伴的动作做出反应的。它们的感觉系统可以在非常短的时间内做出回应，而其时间短到人们误认为它们是在一瞬间集体改变了方向。

在白天，鱼类敏锐的视觉可以帮助它们像鸟群一样集体行动。但鱼和鸟（或者敢于尝试的人类）不同，哪怕在黑暗里，它们也能继续保持同步。这一点多亏了水平排列在鱼身体两侧的特殊鱼鳞，即所谓的"侧线"。我们看到的侧线通常是一条细细的黑线，这是因为每片鱼鳞都有一块能产生阴影的凹陷处。这些凹陷处由神经丘及带有毛发状突起物且包裹着一小层胶状物的感觉细胞构成。水压和水流的变化，包括鱼自身运动带来的水流变化，都会引起神经丘纤毛的运动，从而引发鱼类大脑中的神经脉冲。因此，侧线的作用类似于声波系统，对在夜间和昏暗水域中游动的鱼类来说格外有用。

有了侧线，游动时紧挨着的两条鱼相当于产生了身体接触，彼此间传递的信号能够促成水动力成像，就像视觉信息一样清晰。正是在水动力成像的帮助下，失明的穴居鱼能够感知到像石块和珊瑚这样的静态物体。如果在开放的水域中，鱼周围正常的均匀水流出现扭曲，则意味着有障碍物的存在。失明的穴居鱼类可以在脑中形成地图，这对于无法利用视觉进行导航的生物来说，是一项非常实用的技能。

大部分鱼的大脑都有偏侧性[1]，在遇到不熟悉的物体时，这些聪明的小鱼能以不对称的方式利用自己的侧线。如果在鱼缸某一面玻璃旁放置一个塑料路标，失明的穴居鱼会在游动时利用右边的侧线，绕过障碍物。几个小时后，鱼熟知了地形，这种倾向性会随之消失，鱼也不会对新出现的路标感到异样。由于鱼类的视觉和侧线系统独立运作，这一发现告诉我们，鱼类大脑的偏侧性由来已久。拥有视力的鱼更倾向于在感性的语境中——如在检查新的（以及恐怖的）物体时——使用右眼。

与大多数造物设计相同，侧线本身也有一些不足。游动产生的水流会刺激神经丘，这种"背景噪声"抑制了鱼对外界活动的反应能力。实验表明，游动状态下的鱼与静止不动的鱼相比，前者对于附近入侵者动作的敏感度只有后者的一半。从另一方面来讲，鱼在向前游动的时候，能够感知到鼻子前方出现的水流变化，从而有效躲避隐藏在黑暗中或本身就是透明的物体，比如水族箱的墙壁。但不幸的是，这种系统似乎无法帮助它们监测到捕鱼网的存在。

---

(1) 大脑的偏侧性体现为惯用左脑或惯用右脑。

电感知力

拥有能让你在黑暗中不碰壁的感知器官非常实用，但试想一下，如果在你看不到也听不到的时候，还能感知到另一侧墙壁上的异常是不是就更酷了 —— 这就是电感知力的世界！

电感知力是一种能够感知自然电刺激的生物能力，几乎为鱼所独有，其他已知的拥有电感知力的只有单孔目动物（鸭嘴兽和针鼹）、蟑螂和蜜蜂。鲨鱼、魟鱼和鳐鱼普遍具有电感知力。在超过3万种硬骨鱼中，有300多种鱼拥有电荷，这一至少独立演化了8次的生存技能有很高的价值。相比于空气，水的导电性更强，这也意味着它们在水生环境中更有优势。

顾名思义，电感知力是对与电有关的信息的被动接收。软骨鱼只能接收电觉信息，即它们可以感受到电力刺激但本身不带电。软骨鱼能通过头上布满胶状物质的气孔感受电流。这些小孔叫作罗伦氏囊，以意大利内科医生斯特凡诺·罗伦齐尼的名字命名，正是他于1678年首次发现了罗伦氏囊的存在。注意到鲨鱼鼻子周围那些像是下午五点钟又长出的胡楂的黑色斑点后，罗伦齐尼剥开了鲨鱼的皮肤，发现里面有一些连接着大脑的管状通道，有一些和意大利面一样粗，而且里面布满了晶状胶质。

1960年之前，罗伦氏囊在电感知方面的功能一直是个谜。它能监测到在水中传播的其他器官神经脉冲所引发的细微电流变化。在它的帮助下，一条饥饿的鲨鱼或魟鱼，能感受到深藏在沙子之下15厘米处的一条鱼的心跳。

一些硬骨鱼热衷于自己制造电荷。你一定听说过电鳗。这些生活在南美溪流中的鱼可达2米长，20千克重。电鳗并不是鳗鱼，它们之所以叫这个名字，只是因为其修长的身形。电鳗属于电鳗目，是魟鱼（鲶形目）的近亲。它能够释放出低压电流，并监测从固体上反弹的电磁场，以此帮助自己在黑暗的环境中前行。人们之所以熟知电鳗，是因为它们输出的电压可达 600 伏甚至更高。电鳗的发电器官位于尾部肌肉组织排列着的细胞中。在这些细胞电池里，电力可以一直储蓄着，以备不时之需，如果电鳗愿意，它也可以一次输出所有电流。这种内置的"泰瑟电击枪"，可以电晕或杀死猎物，也可以击退入侵的不速之客。[1]

电鳗及电鳐等其他几种鱼类，因其输出的强大电压而获得强电鱼类的称号。但在我看来，更为有趣的是那些弱电鱼类的用电模式，它们的目的没那么血腥，只是为了和同伴进行交流。大部分弱电鱼可分为两组：因细长且朝下的鼻子而得名的象鼻鱼，以及生活在南美、因苍白的颜色和修长的体形而得名的电鳗目其他鱼。与众多身怀绝技的鱼一样，它们生活在泥泞的水域中，这样的环境为它们用非视觉的隐形方式进行交流提供了便利条件。这些鱼会利用高达每秒 1000 次脉冲或 1 千赫的高速放电器官进行沟通，这一速度大概是电鳗速度的两倍。

这些发电鱼类擅长破解这些信号，生活在中西非河流及海岸盆地区域的一种象鼻鱼就能为我们说明这一点。在德国雷根斯堡大学动物学研究所的生物学家斯特凡·佩特纳和贝恩德·克雷默的实验中，这种象鼻鱼在面对模拟低电压时会展现出惊人的能力。它们能够识别出百万分之一秒的脉冲时差，而这一成绩也打败了动物王国中蝙蝠利用回声定位时的最快交流速度。

通过区分低电压的速率、持续时间、振幅以及频率，象鼻鱼能够交换有关种群、性别、大小、年龄、地点、距离、性向等不同的信息。这些低压电中也会包含有关社会地位和感情的信息，比如是

---

(1) 原注：你或许会好奇这些所谓的强电鱼类要如何避免电到自己。事实上，它们有多层脂肪组织，能够保护自己免受自身武器的攻击。不过尽管如此，它们有时也会因为自己的电击而抽搐。

否更具侵略性、是否愿意妥协、是否在追求异性等。象鼻鱼会将吸引异性的信号精心安排在求偶歌曲中，利用带有异域风情的喳喳声、锉磨声和嘎吱声向心仪的约会对象吟唱小夜曲。它们还能根据极具辨识度和稳定性的低电压信号辨别同类。探测到入侵者的低电压时，鱼群中的统治者也会将入侵者驱逐出去，这一点也能解释为什么鱼在游经他人的地盘时会谦逊地"关掉"自己的低电压。成对或成群的鱼也会调整自己的低电压，一起制造出"回声"或"二重奏"。雄鱼会和其他雄性交换彼此的低电压信息，而雌鱼则会调整自己的低电压，保证与暧昧期异性的电压同步。

当一群象鼻鱼或电鳗聚集在一起时，它们的低电压很有可能会出现混淆。为了避免这一状况，它们会利用躲避干扰反应。如果两条鱼的放电频率过于相似，它们就会自行调整，让差异变大。鱼群中的鱼会与同伴保持着 10 ~ 15 赫兹的电流差异，这样一来，每条鱼都能有自己独特的放电频率。

对赞比西河上游的低电压象鼻鱼的记录显示，它们也会利用电压信号合作。受到潜在捕食者威胁的鱼会释放出低压电，提醒同伴注意。如果碰到成功率较低的捕食者，附近的鱼都会相安无事。如果亲近的同伴更改了信号，表示一切安好，那就无须再大费周章保卫疆土了。食物紧缺时，这些平时希望对方而不是自己被吃掉的鱼也会组队成团，一同觅食。

如果你认为这一切对鱼来说过于复杂，那么你可能需要更新一下对鱼类智慧的认知了。别忘了象鼻鱼的小脑可是鱼类里面最大的，而且它们的大脑和身体的重量比——通常用来衡量智力的数据——几乎与人类相同，用于感知电力及沟通的灰质也很多。

然而利用电进行沟通是需要付出代价的。电觉捕食者也会感知到猎物的电力信号。尖齿胡鲇就是如此。在一年一度向非洲南部奥卡万戈河迁移的宏大征程中，它们常常成群捕食。这段时间里，它们吃得最多的是安哥拉异吻象鼻鱼。尖齿胡鲇可以偷听安哥拉异吻象鼻鱼的低压电流，以此确定这些倒霉蛋的具体位置。除此之外，尖齿胡鲇还有高招。人工养殖的研究显示，雌性安哥拉异吻象鼻鱼的低压电流很短，尖齿胡鲇几乎觉察不到，而雄性安哥拉异吻象鼻鱼的低压电流是雌性的 10 倍长，因此更容易被尖齿胡鲇注意到。在尖齿胡鲇胃中发现的安哥拉异吻象鼻鱼的大小，也说明雄性安哥拉异吻象鼻鱼更容易成为它们的口中之物。在进化的"军备竞赛"中，为了避免成为他人的盘中餐，雄性安哥拉异吻象鼻鱼或许也会逐渐缩短自身的低压电流。

触碰的快感

虽然人类的感觉系统无法想象侧线和电感知器官，但触觉对我们来说并不陌生。在研究鱼类的触觉时，我更希望将它与快感结合在一起。我们常常将快感与触觉分隔开，而且，很少有人会认为鱼也拥有快感。

D.H. 劳伦斯在其象征性的诗作《鱼》中这样写道——

> 它们成群游动
> 但杳无声息，互不联系
> 它们不说话，不感受，甚至不与对方生气
> 彼此不触碰
> 很多鱼困在一起，却永远分离
> 每条鱼都是水中的个体，每条鱼都在向同伴招手

我喜爱这些诗句，也能够理解劳伦斯想表达的含义。从我在空

一起创作
致你「未读」的一封信

UNREAD

我的书摘

书名

作者

我的评分　　★ ★ ★ ★ ★　　阅读日期

喜爱金句

画下本书封面吧！

from 未讀(注)→ 已读(99+)

扫码或搜索关注小红书
@未读Unread查看活动详情

使用说明：
沿虚线裁开本卡片，即可获得 1 张读书笔记小卡。
填写并收集本卡片，在小红书发笔记可兑换「未读」
独家文创。卡片数量越多，文创越是重磅。

(注)「未读」，未读之书，未经之旅。一个不甘于平庸，
富有探索与创新精神的综合文化品牌，为读者提
供有趣、实用、涨知识的新鲜阅读。

本活动最终解释归「未读」所有

气中的经验感知出发，一直被困在沉重而黏滞的生活环境中的鱼，一定非常孤独。

但生活在 20 世纪 20 年代的劳伦斯，并不像我们今天这么幸运，能够了解到鱼类的生活。鱼并不孤独。它们认识身边的每一条鱼，有自己喜欢的小伙伴。它们能通过多种感知渠道进行沟通，也拥有性生活。虽然看起来孤独，但鱼对于触觉异常敏感，而且触觉沟通大大丰富了鱼类的生活。

在针对这本书的内容进行研究的时候，一位困惑的读者曾寄给我一份视频录影带，他不明白为什么鱼会反复上钩，被人捉住，然后被开玩笑般地再次扔回水里。他所说的鱼是一条橘色双冠丽鱼，四处寻觅，就像是《海底总动员》中讨喜的角色。

鱼为什么会这么做呢？

在我看来，鱼喜欢这么做。它们在开心的时候常常触碰彼此，有时伴随着摩擦和轻咬。清洁鱼会用鱼鳍轻抚自己珍视的顾客，以此拍拍马屁，增进清洁员和顾客之间的关系。海鳝和石斑鱼会在遇到熟悉的潜水者时主动靠近，希望能被摸摸身体和下巴。

在一项针对鱼类进行的非正式公众调查中，千名调查对象中有 8 位都反馈了类似橘色双冠丽鱼的行为。这些鱼允许自己的主人抚摸、触碰，能抱在手里甚至可以轻轻拍打。其中一位调查对象凯西·昂鲁在随后写给我的信中介绍了一条名为拉里的眼带石斑鱼。无论何时凯西和其他潜水者下潜到它的礁石附近，拉里都会游出来等待着被轻拍。凯西说，拉里似乎很喜欢和人进行眼神交流，也喜欢仔细查看潜水者的泡泡。拉里甚至会像小狗或小猪一样来回转动，方便人更好地抚摸到它。人们可以看到鱼在嬉戏的视频，有些鱼还会依偎在潜水者怀里，乖乖地任人轻拍，就像宠物猫一样。在越来越多的视频中，我们还能看到很多水族馆里的鱼会不断游向自己信任的人，希望得到轻轻的拍打。

鲨鱼、魟鱼和鳐鱼等软骨鱼在被触摸后也会有愉悦的反应。潜水者肖恩·佩恩描述了他在佛罗里达海岸偶遇一条幼年蝠鲼的经历。这条蝠鲼游向佩恩，在他身上蹭来蹭去，带着他跳了一支圆形探戈，并将自己的身体放进他的手中。

"我用手轻轻抚摸它的身体，当我用手挠它的肚皮时，它的鳍会像小狗的腿一样摆动。"佩恩说。

美国巨型海洋动物协会的创始人安德鲁·马歇尔口中的蝠鲼有强烈的好奇心，喜欢与人类互动。这些大型的板鳃亚纲鱼有着鱼类中最大的大脑，十分喜欢马歇尔给它们做的泡泡按摩。马歇尔会在蝠鲼下方游动，并通过水下呼吸调节器吹出泡泡，一旦她停下来，蝠鲼就会游走，但过一会儿又想要更多泡泡时，就会再游回来。芝加哥的塞德水族馆中也有类似的事情，那里 150 万升的水箱中有五条豹纹鲨，其中的两条喜欢在潜水工作人员身边游动。"我觉得它们喜欢呼吸器里有泡泡跑出来，"野生珊瑚礁管理处的经理利斯·沃森说道，"在日常潜水过程中，只要我们把呼吸器放在鱼的下方，它们就会随着轻触到肚皮的泡泡欢快起舞。"

除了触摸外，能让鱼感到快乐的方式还有很多，食物、游戏、性爱，都是如此。它们还会自己找点乐子。澳大利亚水域的蓝鳍金枪鱼会连续几个小时追着太阳光来回翻滚。我们并不清楚它们为什么会这样，但有可能是在晒日光浴，以此提高体温，从而加快游动和反应的速度，更高效地捕猎。我猜测金枪鱼也很享受太阳光的温暖，通过快感，它们进化出更实用的行为。

翻车鲀（又称海洋太阳鱼）因其喜欢侧身躺着享受太阳浴而得名。这些大鱼就像是寄生虫的宾馆，它们的身体上寄居着多达 40 种体外寄生虫，包括长达 15 厘米的大型桡足动物。翻车鲀会在浮动的海藻层下排队，等着那儿的清洁鱼为自己服务。一旦翻车鲀侧身漂浮，就表示它已经准备好了。

但有些寄生虫体形过于庞大，翻车鲀就只能寻求专家的帮助。它们会浮到水面上，让海鸥用强有力的嘴，像动手术一般清除掉渗透在皮肤里的寄生虫。翻车鲀会不停地向这些鸟儿献殷勤，寸步不离地跟着它们四处游动。

我们是否可以大胆猜想，翻车鲀能够从皮肤的刺激中得到放松，并且也能理解鸟和虫的生物链关系呢？面对这种古老、聪慧，已经在地球上存在超过一个世纪，且在宽广海域中遨游数万平方米的生物，这是我能想出的最合理解释。

了解快感也能了解疼痛，至少表面上是这样。然而，尽管对鱼类硕大身躯的了解在逐渐加深，我们依然可以探讨它们对疼痛的感知。鱼能感觉到疼吗？让我们一起来探索。

第三章
鱼的感受

遍布全身的感官建构了你的一生。

——D.H. 劳伦斯《鱼》

疼痛、知觉与意识

湿润的水流狂热地穿过你鳃中的格栅。

——D.H. 劳伦斯《鱼》

鱼会感觉到疼吗？有些人根据鱼的外形、行为特征及其在脊椎动物亚门中的分类推断它们能感到疼痛，不过很多人持相反意见。我仅知晓为数不多的针对这一问题的意见调查，比如对北美垂钓爱好者和休闲渔业从业者的调查显示，认为鱼会感到疼痛的人比持相反观点的人略多，在新西兰的调查也得到了相似的结果。

鱼能否感到疼痛这个问题很重要，想想本书序言中所提到的无数被人类捕杀的鱼吧。能够感到疼痛的生物会饱受折磨，因此也会有避免痛苦和折磨的倾向。能感受到疼痛并非轻而易举之事。痛觉的产生需要具备意识经验（conscious experience）。当生物受到消极刺激时，即便没有感到疼痛也会做出躲避行为。这可能是单纯的条件反射，是神经和肌肉活动导致的身体动作，但没有意识的参与。例如，在医院接受深度麻醉的病人感觉不到疼痛，但受到有可能造成伤害的刺激，比如高温和高压时，也会产生回避反应。这是独立于脑的外周神经系统活动所导致的行为。科学家用"伤害性感受"（nociception）一词来描述没有意识或痛觉参与的条件反射。伤害性感受是疼痛感受的第一阶段，是经历疼痛必需的条件，但只有伤害性感受并不足以产生疼痛感。只有当伤害性感受器将信息传递给高级脑部中枢后，人才会感觉到疼。

有很多合理的原因会让人们相信鱼能感觉到疼痛。鱼是脊椎动物，身体的基本结构与哺乳动物一样，都有脊椎、感官以及由脑控制的外周神经系统。对鱼来说，探测周围环境中的潜在危险并尽量避免同样是种实用的技能。而疼痛能让动物意识到周围存在着会让它受伤或丧命的潜在伤害。受伤或死亡会降低个体繁殖后代的成功概率，因此，自然选择会偏好那些能够避免可怕后果的个体。疼痛能让动物学会，并且不断刺激着动物去避免曾经经历过的有害事件。

我会给你布置一项任务，通过这项任务，你或许能对鱼是否有意识以及能否感到疼痛这个问题有些许的认识。去水族馆里挑一个鱼缸，花 5 分钟时间观察里面的鱼。聚精会神、耐心细致地看，认真观察它们的眼睛，观察它们的鱼鳍和身体的运动，同时记住你现在已经了解了鱼的视觉、听觉、嗅觉和触觉。之后选择一条鱼观察。它是否会关注其他的鱼？它的运动是有规律的，还是像开了自动驾驶模式一样胡乱游动？

如果你这样做了，就会发现鱼的行为并不是随机的。你会注意到鱼往往会和其他同类交往。你会发现它们的眼睛并不是呆滞地盯着一个方向，而是会在眼窝中转动——尤其是那些身体各部分容易观察到的大鱼。如果你观察得特别仔细，还会注意到每条鱼都有自己独特的性格。比如，某些鱼会很强势，当弱势的鱼侵犯到自己的地位或领地时，这些鱼就会驱赶它们。有些鱼更爱冒险，有些鱼则更羞涩。

年少时，我在盯着水族箱里的鱼看时并没有注意过。我没有意识到自己看着的是另一种生命，在我眼中，它们不过是一些游来游去、形态各异、五颜六色的动物。渐渐地，我开始更仔细地观察鱼，对我来说，它们也变得越来越有趣了。现在，当我在分隔两个生命世界的大玻璃墙前徘徊时，我会注意到它们游动的轨迹有模式、有规律，它们的社会生活也有组织、有纪律。即使是生活在无法完全模拟自然栖息地复杂环境的小型水族箱中的鱼，也有自己喜欢活动或休息的区域。

鱼当然是清醒的，但它们有意识吗？有意识的生物能够体验世界，会留心观察，也有记忆。它们不仅有生命，也有自己的生活。这本书中有大量科学证据能够证明鱼类拥有意识。不过有时候，一个简单的故事更有说服力。我的一位宾夕法尼亚州的医生朋友安娜·内格龙跟我分享了这样一则故事：

> 那是 1989 年。我在波多黎各东北沿海清澈的水域中浮潜，当我悠闲地往停泊在海中的帆船游去时，看到了一条 1.2 米长的石斑鱼。它也看到了我。我们离得很近，我几乎一伸手就能碰到它。它整个左侧身体都在阳光下闪闪发光。我停止了用脚蹼划水的动作，完全呆住了。我们两个都一动不动，在距离水面 30 厘米左右的位置四目相对。我随着水流漂荡，它的大眼睛在眼窝中转动，盯着我的眼睛，足有半分钟。对我来说，这半分钟就像是永恒。我不记得是谁先移开了视线，但我爬回船上后，立马告诉了大家一条鱼和一个人觉察到了彼此。尽管在那之后，我也凝视过鲸的眼睛，但那条鱼的存在感是最强的。

当我观察鱼类的行为，看到它们在水中游动、互相追逐、来到水族箱的一端等待喂食时，我的常识强烈地告诉我，这些生物是有意识、有感情的。我内心深处的直觉也极为认同这一观点。但是常识和直觉都算不上科学证据。接下来，让我们一起看看科学界对于鱼类知觉的观点吧。

鱼类知觉之争

认为鱼类能感到疼痛这一阵营中有两位关键的鱼类生物学家，

即美国宾夕法尼亚州立大学的维多利亚·布雷思韦特和利物浦大学的琳内·斯内登。怀俄明州立大学的荣誉教授詹姆斯·罗斯则坚决否认这一观点。2012年，罗斯和另外6位在学界响当当的同事，共同在《鱼类和渔业》杂志上发表了一篇论文，题为"鱼能否真的感觉到疼？"。其论点的关键在于，他们认为鱼类是无意识的，即觉察不到任何事物，没有感觉，不会思考，甚至也看不到东西。而疼痛完全是一种意识体验，因此鱼类不可能感觉到疼痛。这一观点的基础是我称为"皮层中心论"的理论，该理论认为"拥有和人类一样感知疼痛的能力"的动物必须有新皮质，也就是脑部像花椰菜一样有沟有回的部分。新皮质（neocortex）一词的拉丁词源意为"新树皮"，因为人们认为新出现的这一层灰质是脊椎动物大脑中最晚演化出的部分。只有哺乳动物的脑才有灰质。

如果新皮质是产生意识的部分，那么只有哺乳动物才可能有意识，也就是说所有哺乳动物以外的动物都没有意识。但是这个观点存在一个很大的漏洞。鸟类并没有新皮质，但人们普遍认可鸟类有意识这一观点。人们发现鸟类具有多种需要认知能力的技能，比如，它们能制造工具，能长达数月记住成千上万个埋藏物的位置，能依据物体的混合特征（比如颜色和形状）分门别类，能接连数年辨别出友邻的声音，能在黄昏时呼唤幼鸟让它们回巢，能做出像从雪堤或汽车窗上溜下来这种颇有新意的行为，能搞些诸如从毫无戒备的游客身边偷走三明治和冰激凌甜筒之类的小聪明恶作剧。鸟类这些有意识的行为让人们震惊，以至于2005年，人们把原本用来骂人蠢的"birdbrain"（白痴，直译为鸟脑）一词的意思进行了更改，使之成为一种术语，代指鸟类旧皮质的平行演化路径，而正是这一演化过程，让鸟类具有了与哺乳动物类似的认知能力。作为一个反例，鸟类证明了并非只有拥有新皮质的动物才有意识、能产生体验并做出智慧行为或能感到疼痛。

如果存在任何一种没有新皮质却有意识的动物，那么新皮质是意识产生的必要条件这个观点就不攻自破了。照此推理，鱼没有意识这种论点也就毫无根据了。"产生复杂意识的方式有很多。"埃默里大学的神经科学家洛丽·马里诺说，"因为鱼缺少相关的神经解剖结构就断定鱼感觉不到疼痛，就好像说气球不能飞是因为没有翅膀一样。"

或者说人没长鳍所以不能游泳一样。

鱼体内与哺乳动物新皮质对应的结构叫作大脑皮层，其多样性和复杂程度之高令人惊奇。虽然一般来说，鱼类大脑皮层的计算能力不敌灵长类动物的新皮质，但人们越来越清楚，鱼类大脑皮层的功能和哺乳动物的新皮质、鸟类的旧皮质的功能一样。科学家还会继续研究这些神经结构的功能，不过现在已知的功能包括学习、记忆、个体识别、游戏、使用工具、协作和计数等。

反复咬钩

现在我们来讨论鱼为什么会傻乎乎地接二连三地上钩。"被捕获而后被放走的鲈鱼，会在当天或第二天回到同一个地方咬钩，有时还不止一次。类似的故事并不在少数。"鱼类生物学家基思·A. 琼斯在一本写给鲈鱼垂钓者的书中这样写道。有些渔夫顺理成章地认为这表明被鱼钩钩住对于鱼来说并不是什么创伤体验。否则它们为何很快又回来咬钩？（我们当然也可以换个说法，要是鱼类没有任何感觉，为何要一次次回到渔夫的手中求抚摸？）

不过大多数渔夫也很熟悉"躲避鱼钩"这个说法。有研究表明，鱼类被鱼钩和鱼线捕获后，要经过相当长一段时间才会恢复正常活动。鲤鱼和狗鱼上钩一次后，要经过长达三年时间才会再次咬钩。

针对大口黑鲈的系列实验也表明，这种鱼能很快学会躲避鱼钩，并能坚持六个月不咬钩。

也有研究表明，利用手术等入侵性方式在鱼体内植入用于记录其活动的信号收发装置后几分钟，鱼的行为就可以恢复正常。我并不认为这是怀疑鱼能感知疼痛的理由。饥肠辘辘的鱼不会因为饱受疼痛折磨就不饿了，其觅食的动力可能会超过创伤之痛所产生的抑制效果。

2014 年，悉尼麦考瑞大学生物科学系研究鱼类认知及行为的卡勒姆·布朗在接受某次采访时，解释了鱼类反复咬钩的原因。

它们需要进食。生活环境的不确定性太大了，它们不能放过任何饱餐一顿的机会。很多鱼即使完全吃饱了也还是会咬钩……人们经常跟我说："我老是反反复复钓上来同一条鱼。"这很正常，如果你正饿得前胸贴后背时，有人不断往你的汉堡里塞鱼钩（假设十分之一的汉堡中有鱼钩），你会怎么办呢？你肯定接着吃汉堡啊，不然就得饿死。

鳟鱼的痛觉研究

躲避鱼钩这一现象证明不了什么，未来相当长的一段时间内，科学家和哲学家可能仍会就动物是否有意识这一问题争论不休。为了探究鱼类是否存在知觉，我们最好回顾一下关于鱼类痛感的科学研究。这方面的研究不在少数，但是本书篇幅有限，只能列举其中几个案例。布雷思韦特和斯内登用虹鳟这种代表性硬骨鱼进行的实验是其中最严谨的几个之一。布雷思韦特所著的《鱼会感觉到疼吗？》（*Do Fish Feel Pain?*）一书对他们的发现进行了总结。

研究鱼类是否有痛感的第一步是判断它们是否具有相应的生理

结构。鱼类身体中有什么样的神经组织？它的功能是否和有知觉的动物的神经组织一样？

为了寻找问题的答案，研究人员对鳟鱼进行了深度麻醉和终末期麻醉处死（实验过程中它们处于昏迷状态，实验结束后以过量麻醉剂处死），然后通过手术将它们的面部神经暴露出来。研究人员在其中发现了三叉神经，这是脑神经中最粗大的神经，所有脊椎动物都有三叉神经，负责面部知觉和咬合、咀嚼等运动功能。鳟鱼的三叉神经中同时包含 Aδ 类神经纤维和 C 类神经纤维。人类和其他哺乳动物身体中的这两种神经纤维与两种痛觉有关：Aδ 类神经纤维负责传导受伤后最初的尖锐疼痛信号，而 C 类神经纤维负责传导随后那种隐隐约约的抽痛信号。有趣的是，研究人员发现鳟鱼体内的 C 类神经纤维比例（约 4%）比其他脊椎动物（50%～60%）低得多，这可能表明伴随鳟鱼受伤之后感受到的持久性疼痛更少。但是比例的差别可能并不能说明什么，正如琳内·斯内登所指出的，鳟鱼体内 Aδ 类神经纤维与哺乳动物体内 C 类神经纤维的作用是一样的，它们都会对多种多样的有害刺激做出反应。

接下来，研究小组需要确定鳟鱼皮肤受到的伤害性刺激是否都会激活三叉神经。这一点只要通过刺激三叉神经节，即三条神经分支的交汇点，就可以得到答案了。研究人员在神经节中不同的神经元上插入微电极，用抚摸、灼烧和化学刺激（酸性较弱的醋酸）三种不同的方法刺激其头部和面部的受体区域。通过微电极记录下的信号来看，这三种刺激都会迅速提升三叉神经的活跃性。有些神经受体对三种刺激都有反应，而有些则只会对其中的一两种产生反应。对科学家来说，这是非常重要的信息，它意味着鳟鱼具备能对多种导致痛感的刺激——比如机械伤害（割伤、刺伤）、灼烧和化学伤害（酸腐蚀）——做出反应的生理结构。

具有相应生理结构这一点对于得出生物能够感知疼痛的结论至

关重要，但是，单凭这一论据也不足以推导出该结论。虽然人们已经积累了大量证据，但仍然不能排除鱼的神经元、神经节和大脑在面对伤害性刺激时只能做出条件反射，而不能真正感知到疼痛。

在接下来的实验中，研究人员将鳟鱼分为四组，分别接受不同的处理。从水箱中抓出来后，这些鳟鱼会被进行短暂麻醉，之后第一组鱼的嘴部（仅在皮下）会被注射蜂毒，第二组鱼注射食醋，第三组鱼注射中性生理盐水，第四组鱼采用相同的处理方式但不进行注射。后两种操作能让研究人员排除抓捕、麻醉以及针刺注射的影响因素。之后，研究人员会将处理好的鳟鱼放回到它们生活的水箱中。为避免进一步造成影响，研究人员会躲在黑色帘子后面悄悄观察鳟鱼的行为。研究人员会测量它们的鳃动频率（鳃盖开合的速度），根据之前的研究经验，这一指标能够反映出鱼类痛苦的程度。

所有鳟鱼都明显表现出了痛苦，但不同组别鳟鱼的痛苦程度有一定差别。两个对照组[1]鳟鱼的鳃动频率从之前静息状态的每分钟约50次提高到了每分钟70次，而注射了蜂毒和食醋的鳟鱼的鳃动频率则高达每分钟90次。

实验中的所有鳟鱼都经过了训练，只要灯一亮就会游到环状区域中等待喂食。但是各组鳟鱼经过处理后，虽然都已经一整天没有进食，但没有一条鱼会去环状区域。（这一现象与人们常说的上过钩的鱼被放回水中后还会继续咬钩的故事形成了反差。）相反，它们会在水箱底部休息，胸鳍和尾鳍一动不动。蜂毒、食醋注射组中的部分鳟鱼还会左右摇摆，偶尔突然往前冲一下。有些注射了食醋的鳟鱼还会在水箱壁或碎石上蹭自己的嘴巴，仿佛试图缓解痛痒的不适感。

注射一小时后，对照组鳟鱼的鳃动频率恢复至正常水平。而注

---

(1) 对实验变量进行处理的即为实验组，没有进行处理的是对照组。在这一实验中，对照组是第三组和第四组。

射两小时后，蜂毒和食醋组鳟鱼的鳃动频率仍然保持在每分钟70次甚至更高，直到三个半小时后才会回到正常水平。不仅如此，在注射一个小时后，对照组鳟鱼开始在灯亮时有反应，但仍然不会进入喂食圈。注射一小时二十分钟后，两个对照组的鳟鱼都会进入喂食圈并吃掉沉在水里的鱼食。而注射了蜂毒和食醋的两组鳟鱼则花了三倍长的时间才最终对喂食圈提起了兴趣。

止疼药和吗啡能够大大缓解鳟鱼对伤害性处理的消极反应。吗啡属于阿片类物质，而鱼体内存在阿片受体系统，它们对吗啡的反应表明药物能够缓解其疼痛体验。

大约同一时期，莫斯科国立大学的鱼类生物学家莉利亚·切尔沃娃进行了其他实验，证明伤害感受器（对伤害刺激敏感的神经组织），广泛分布在鳟鱼、鳕鱼和鲤鱼身体的各个部位。最敏感的是眼睛、鼻孔、鱼尾、胸鳍和背鳍周围，这些部位就像人类的脸和手一样，是身体中接触外界最多且使用物体最多的部位。切尔沃娃还发现，曲马多[1]这种药物能够降低鱼类对电击的敏感性，且药量越大，痛苦减轻得越快。

布雷思韦特、斯内登和切尔沃娃的实验都表明鱼可以感受到疼痛，而不仅仅是对伤害性感受做出条件反射。不过仍然有一项实验值得一试，它能让我们看出需要更高级认知参与的复杂行为的变化。辨识不熟悉的物体并专注其上就是一个突破口，斯内登、布雷思韦特和迈克尔·金特尔决定在这个问题上进行深入研究。

跟大多数鱼一样，鳟鱼能够辨别出新出现在环境中的物体并积极避免与之接触。正是因为了解这一点，研究人员用红色的乐高积木块拼了一个积木塔，并将其放进水箱中。他们将对照组的鳟鱼从水箱中捞出来并进行短暂麻醉，并在其嘴唇上注射了生理盐水，之

---

(1) 曲马多为非阿片类中枢性镇痛药。

后又把它们放回到增加了积木塔的水箱中。这些鳟鱼会明显做出躲避积木塔的行为，而注射了食醋的鳟鱼则会有规律地在积木塔附近游荡。看上去食醋会削弱鳟鱼进行更高级认知行为的能力，也就是说让鳟鱼没办法意识到并且躲避没见过的物体。研究人员推测，食醋产生的疼痛感让鳟鱼心烦意乱，因此连正常的逃生行为都做不出来。

为了进一步证明这一"心烦意乱"假说，研究人员又分别给注射了生理盐水和食醋的两组鳟鱼注射了吗啡。在这之后，两组鳟鱼都能够主动躲避积木塔。

针对鱼类知觉的其他研究

上面总结的这些实验结果，并不能说明鱼一定会感觉到疼痛。鱼类对我们所谓的疼痛作何反应，还可以从其他角度进行评判。和对伤害刺激的无意识条件反射不同，有意识的痛感反应具有可变性，十分微妙。检验这种说法的其中一种方法是改变伤害刺激的强度。例如，盖斑斗鱼在面对低强度电击时，游动会更加活跃，仿佛在努力寻找逃生通道，而高强度电击则会让盖斑斗鱼远离电击源，同时做出防御行为。

另一种方法是改变鱼在接受刺激时的行为状态。一项针对132条斑马鱼的研究表明，注射前受惊与否会影响它们在尾部注射醋酸之后的反应。仅注射醋酸的斑马鱼会无规则地游动，尾巴也以奇特的方式摆动，不会产生任何前进动力。但是，如果让斑马鱼先接触另一条斑马鱼释放出来的警戒信息素，它就会做出看到新鲜或可怕事物时的反应：要么僵在一处，要么贴着水底游动。它们在被注射之后，不会无规则地游动，也不会胡乱摆动尾巴。两种反应的区别表明，恐惧能够压抑或掩盖鱼类的痛感，而这种现象在人类和其他哺乳动物中早已被证实。这是一种适应性反应，毕竟，逃离致命的危险环境比停下来处理伤口更重要。

琳内·斯内登用于研究斑马鱼疼痛的方法是我认为最有说服力的：她会测试斑马鱼是否愿意为了缓解疼痛付出一定代价。和大多数人工喂养的动物一样，鱼类喜欢刺激。比如，即便是在同一个水箱内，相比于空荡荡的区域，斑马鱼更喜欢游到有更多可探索的植物和物体的区域内。斯内登给斑马鱼注射了醋酸后，发现它们的这种偏好并没有改变；注射了生理盐水（只会造成短暂疼痛）的斑马鱼也没有偏好变化。但是，如果在斑马鱼不喜欢的空荡荡的区域中加入止痛药，注射了醋酸的鱼就会游动到这一区域，而注射了生理盐水的鱼依旧会待在另一个区域。从中可以看出，斑马鱼愿意为了缓解疼痛付出一定代价。

挪威兽医学院的雅尼克·诺德格林和斯坦福大学的约瑟夫·加纳用另一种方法研究金鱼的疼痛，而他们的实验得出了出人意料的结果。他们在16条金鱼的身上固定了铝箔做成的小型加热器，然后慢慢给加热器升温。（让我感到安慰的是，论文中提到这个装置配备了温度传感器和保险开关，以便及时关掉加热器，避免给金鱼造成严重的灼伤。）其中一半金鱼注射了吗啡，另一半只注射了生理盐水。论文作者相信，如果金鱼能够感到疼痛，那么注射了吗啡的金鱼能在做出反应前忍受更高的温度。

然而结果并非这样。两组金鱼都表现出正常的疼痛反应：它们开始扭动，而且做出反应时所感受到的温度相同。但是，把它们放回到水箱中半小时后再进行观察时，两组鱼表现出了不同的行为。注射了吗啡的金鱼会正常地四处游动，而注射了生理盐水的金鱼则会出现更多逃跑反应，包括所谓的"C形起动"（鱼的头部和尾巴甩到身体同一侧形成"C"形）、游动和甩尾（左右甩动尾部而身体、躯干和头部不会随之摆动）。

加纳和诺德格林的研究证明，鱼既可以感受到伤害刺激导致的最初的尖锐疼痛，也可以感受到随后出现的持续性疼痛。这种反应就像我们的手碰到热炉子一样。首先，我们会立即做出条件反射，不由自主地把手从滚烫的炉子边缩回，丝毫不需要经过大脑思考。大概一秒钟后，我们才会真正感受到疼痛的冲击。之后，我们需要忍受数小时甚至数天的不适感，而我们的身体正是用这种不适感来保护受伤的手，提醒我们不要再做类似的傻事！在我看来，实验结果表明金鱼可能有更多鳟鱼体内含量较低的 C 类神经纤维，即那些与持续性疼痛相关的神经纤维。

走向科学共识

如今，支持鱼类具有痛感的证据已经足够有说服力，甚至得到了不少兽医学机构的认可，其中就包括美国兽医师协会。该协会推出的《2013 年动物安乐死指南》中提到：

有实验表明，鱼类受到伤害刺激时，前脑和中脑会产生明显的脑电活动，而且对不同伤害感受器的刺激所产生的脑电活动也不同，这一结果推翻了鱼类对疼痛刺激的反应仅仅是条件反射的观点。针对学习和记忆巩固的实验中，鱼类学会了躲避伤害刺激，而这也加深了人类对鱼类认知和知觉的理解。现有大量证据都表明鱼类和陆生脊椎动物一样，会尽量避免受到疼痛的折磨。

2012 年，一群权威科学家聚集在剑桥大学，讨论目前学界对动物意识的理解。经过一天的讨论，他们共同起草签署了《意识宣言》。其部分结论如下：

在生物演化的历程中，主导注意力、睡眠及决策方面的行为及电生理反应的神经回路，早在无脊椎动物阶段中的昆虫和头足纲软体动物（比如章鱼）中就已经存在了。

换言之，没有脊椎的动物也可能具有意识。

而且，各种情绪的神经机制似乎并不仅仅局限于皮质结构当中。事实上，人类的皮层下神经网络在情感状态下会被激发，而这种神经网络对于形成动物的情绪行为也非常重要。

换言之，皮层之外的脑部区域也能产生情绪。

不能仅凭动物没有新皮质就判断它不会经历情感状态。

换言之，因见到食物而兴奋、因遇到天敌而心生恐惧这些事，并不需要人类一样巨大、复杂的大脑也能办到。

现在你可能会想，干得漂亮，你们这群聪明绝顶的科学家用一种全新的方式，再次证明自己是最后一批认识到大众早已了解的常识的人。正如心理学家、作家盖伊·布拉德肖所言："这不是新闻，是最基本的科学知识。"不过，它也证明了承认一种根本不具有普遍性的现象（意识）的难度，以及学界长期以来不愿心服口服地接受意识并非人类独有的事实。

鱼类在生理和行为两方面都表现出能够感受到疼痛的特征。它们有哺乳动物和鸟类用来感知伤害刺激的特殊神经纤维。它们能学会躲避电击和鱼钩带来的伤害。当它们的身体受到伤害时，认知能力会有所下降，而如果疼痛得到缓解，认知能力还能恢复。

以上这些结论是否能给鱼类的痛觉和意识之争画上句号呢？恐怕还不行。可能总是有人会借不确定性之名断言鱼类感受不到疼痛。即便研究表明少数几种鱼类具有痛感，人们仍然可以认为其他数不清的未经解剖刀、注射器或小型铝箔加热器摆弄的鱼有可能感觉不到疼痛。

鱼类的意识和痛觉得到了科学共识，而且这种意识很有可能是所有动物中最早出现的。为什么？因为鱼类是最早出现的脊椎动物，它们在演化了一亿多年后，哺乳动物和鸟类的祖先才登上陆地。而这些动物开始在全新的环境中繁衍生息时，一定沾了一点点意识的光。不仅如此，因为我们今天看到的鱼拥有意识和知觉，很可能它们的祖先也演化出了意识。未来人们会发现，鱼类可以用自己的大脑做一些非常有用的事。

从紧张到愉悦

脸是鱼身上一个明显不讨喜的部位。虽然我们不得不承认，鱼是地球上第一种真正出现了脸的动物，但它们的脸充其量只能算是嘴巴、鼻子、眼睛和额头（姑且把这个部位叫作额头好了），按照恰当的方式长在了一起而已。鱼既不会皱眉也不会笑。要是鱼能够做出这些表情，人们可能会对鱼表现出更多同情心。

——布莱恩·柯蒂斯《鱼一生的故事》

有个名叫洛丽的女人给我讲了两条鱼的故事。2009 年底，她买了一个 19 升的鱼缸和三条金鱼，一条红狮头金鱼、一条黑龙睛金鱼和一条扇尾琉金金鱼。跟很多养鱼新手一样，洛丽几乎对照顾金鱼一无所知。在接下来的几个月里，她买了几条鱼也死了几条鱼。不过最初买的扇尾琉金金鱼和黑龙睛金鱼都活了下来。洛丽给扇尾琉金金鱼起名为"海饼干"，她丈夫给黑龙睛金鱼起名为"小黑"。

一天，洛丽回家吃午饭时，惊恐地发现小黑被困在了一个装饰用的宝塔里，那个宝塔是她亲自放在鱼缸里，用来给金鱼增添乐趣的。小黑挣扎着想逃出来，不停用自己的身体去撞那座塑料监狱，看上去十分虚弱。

与此同时，海饼干疯狂地冲向小黑，在洛丽看来，它就像是努力要把小黑从宝塔中解救出来一样。洛丽小心翼翼地把手伸向宝塔，尽可能轻柔地用手指把小黑推了出来。它状态很差，身体一侧的鳞片和天鹅绒般的皮肤都蹭坏了，右眼肿胀，还擦破了皮。它无精打采地悬在鱼缸底部，几乎一动不动。洛丽觉得它大概活不了了。

接下来的几天，海饼干一直待在小黑身边守护着它，这条小小的黑龙睛金鱼逐渐恢复了健康。它的眼睛痊愈了，身体受伤的一侧渐渐长出了全新的鱼鳞。

从那时候起，洛丽发现小黑和海饼干之间的关系也出现了明显的变化，在她看来："之前海饼干专横跋扈，经常霸道地驱赶小黑，但是宝塔事件后，这种行为再也没有出现过。我开始觉得，鱼也是有情感、有个性的个体。"

她把这两条鱼转移到了 76 升的鱼缸里，里面装了一个大过滤器以及很少的装饰品。小黑于 2015 年 6 月去世，只有 6 岁，一看就知道是因为过滤器故障而死的。海饼干仍然"苦苦支撑"，由一条从学校嘉年华救回来的名为"太多"的金鱼陪伴着。

25 年前发表在南非一份报纸上的另一个故事，跟洛丽的故事有着惊人的相似之处。这个故事里也有一条受伤严重到几乎无法游动的黑龙睛金鱼，它的名字也叫小黑。当小黑被放进另一个鱼缸，和一条更大的名为"大红"的红狮头金鱼在一起时，大红立刻对这位无助的"缸友"产生了兴趣。它也开始游到小黑身体下方施以援手。它们会像骑了双人自行车一样在鱼缸里一起游来游去，大红凭一己之力推着它们俩一起游，帮助小黑恢复行动能力，并且能吃到撒在水面上的食物。宠物店老板认为大红的行为是出于同情。

情绪的硬件

洛丽和南非宠物店老板的故事并没有多少科学说服力，因为它们都是独立存在的奇闻逸事，两条鱼背后的行为和情感也很难解读。比如，我们怎么知道海饼干并不是出于害怕或应激而攻击困在宝塔内的小黑呢？对我来说，两条鱼随后出现的持续性的关系变化更有说服力，这表明小黑的灾难是一个重大事件，让两条鱼的关系更亲密了。

把奇闻逸事先放在一边，科学界对鱼类的情绪持怎样的观点呢？我们可以从鱼类大脑和身体中的"硬件组织"出发。

情绪的产生需要脑回路，这种古老的结构在演化过程中一直存在，所有脊椎动物都有。前面章节中的内容告诉我们，即便是没有新皮质的大脑，也能感到目瞪口呆或火冒三丈。越来越多的专家相信，情绪是伴随着意识一同产生的。有时，能做出反应比思考本身更有用。想象自己是一只原始海洋生物，突然间遇到了捕食者，如果你得先默默想着"天哪，我最好赶紧离开这儿"，那你很快就会变成别人的美味大餐。感到惊慌后立刻逃跑才能保住性命，其他的可以之后再想。

情绪与一类叫作"激素"的物质关系密切，它是由人体内腺体分泌出的化合物，能够影响人的生理和行为。硬骨鱼和哺乳动物脑部形成"激素模式"，即所谓的神经内分泌反应的方式本质上是相同的。因此，这些模式在意识和情绪方面发挥的作用可能也是类似的，也就是说，这两类动物的神经内分泌系统也是类似的。

催产素就能很好地证明这种相似性。它也被叫作"爱情灵药"，与建立亲密关系、性高潮、宫缩、哺乳以及坠入情网的体验有关。加拿大汉密尔顿麦克马斯特大学的研究人员，发现鱼类体内功能相同的异亮氨酸催产素，也能调节不同社交情境下的行为。研究人员给两组成年雄性美新亮丽鲷分别注射了异亮氨酸催产素和生理盐水，注射了生理盐水的美新亮丽鲷没有表现出明显的行为变化，而注射了异亮氨酸催产素的美新亮丽鲷则变得更加情绪化。当被放到模拟争夺领地的情境中时，即便面对体形更大的对手，后者也会更具攻击性。令人意外的是，地位中等的美新亮丽鲷在注射了异亮氨酸催产素之后，会对鱼群中的其他个体表现出服从行为。论文作者推测，服从反应能够使这些高度社会化、彼此协作养育后代的美新亮丽鲷凝聚成更稳定的群体。这种情感可能不是爱情，但肯定是一种温和友好的反应。

另一种研究鱼类情绪的方法是对比鱼类、鸟类和哺乳动物大脑中相似的杏仁核区域。这是一对构成大脑原始边缘系统的杏仁状结构，哺乳动物的杏仁核会影响情绪反应、记忆以及决策力。鱼类大脑中内侧脑皮层的功能和杏仁核一样，当这一区域被切断神经连接丧失了功能或接受了电力刺激后，鱼类就会出现攻击行为的变化。这种变化跟接受了类似处理的陆生动物十分相似。以金鱼为实验对象的研究也表明，内侧脑皮层会参与针对可怕刺激的情绪应答。

鱼怎样表现出恐惧呢？受到捕食者攻击时，它们又会作何反应？事实上，鱼类感到害怕时做出的反应跟我们的预期差不多。除了呼吸更加急促并释放出警示信息素以外，它们还会表现出陆生动物感到恐惧时的典型行为，比如逃跑、僵住、让自己看上去体形更大或者改变身体的颜色等。之后它们也会停止觅食，避免进入受到攻击的区域。

如果给鱼用一些能够缓解人类焦虑的药物，它们能放松下来吗？奥沙西泮就是这样一种药物，它被广泛用于治疗人类的焦虑和失眠，且能够缓解戒酒时出现的其他症状。瑞典于默奥大学的约纳塔·克拉蒙德带领的研究团队，捕获了一些野生欧亚河鲈，并给它们用了奥沙西泮，在那之后，这些鲈鱼会变得更加活跃，生存率也更高。让人类放松的药物却会让鱼更加活跃，这似乎有些异常，但其实鲈鱼的反应正是其放松之后的状态，因为只有放松的鲈鱼才会更勇敢地探索周围环境。在这种状态下，使用了药物的鲈鱼会较少跟同伴聚在一起，而是花更多时间觅食，这可能也就解释了为什么这些鲈鱼在没有捕食者的环境中生存率更高。

在安全的环境中，放松身心并没有什么坏处，但恐惧这种情绪的存在也并非全无道理：它能够让我们远离危险、躲避危险。鱼类有社交学习的能力，仅仅通过观察同类的反应，它们就能轻易学会畏惧某种事物。比如，最初在玻璃一侧的胖头鲹并不畏惧陌生的捕食者，但观察到玻璃另一侧同伴对捕食者的恐惧反应后，它们就会很快学会躲避这些捕食者。

胖头鲹接触过同类释放出的报警物质（在讨论嗅觉的章节中提到过的警戒信息素）后也能学会躲避捕食者。对于暗示了潜在危险的气味线索和视觉线索，鱼类是否一样重视呢？显然不是。加拿大萨斯喀彻温大学的科学家会训练鱼类，让它们以为某种陌生的气味是安全的，因为这种气味出现的时候从来不会有坏事发生。但事实上，这种气味来自以胖头鲹为食的危险捕食者狗鱼，只不过实验中胖头鲹曾生活的地方没有狗鱼出没，研究人员据此推测它们并不知道狗鱼的气味以及隐藏的危险。对照组的胖头鲹也接受了类似的训练，只不过其所用的水中没有狗鱼的气味。测试当天，两组胖头鲹都接触到了狗鱼的气味，此外每组又分别接触到了（1）胖头鲹的报警物质，（2）知道狗鱼的危险性、且会因狗鱼气味而感到恐惧的"典型"胖头鲹。之前没有接触过狗鱼气味的胖头鲹对警戒信息素和对受惊同伴的反应一样。但是，经过训练后认为狗鱼气味温和无害的胖头鲹，对警戒信息素毫无反应，对惊恐不已的同伴则表现出了典型的恐惧行为（减少游动及觅食，同时寻找躲避之处）。

因此，至少对胖头鲹而言，恐惧的视觉信息比嗅觉信息更有说服力。这项实验也证明，对于判断捕食者是否有威胁，胖头鲹更相信同伴的判断而不是自己的。哪怕虚惊一场也好过忽视了真正的威胁。正如人们常说的，宁可谨慎有余，不要追悔莫及。

对抗压力

从可怕的境遇中逃离出来，不仅能够保命，也有益于长期健康。针对老鼠、狗、猴子，以及饱受战争和其他困境折磨的人的研究结果表明，无法排解的压力会造成各种问题，比如焦虑、抑郁、免疫力低下等。

面对压力时，我们的身体会释放出皮质醇。这种所谓的应激激素能够调节压力水平，在包括鱼类在内的其他脊椎动物体内也发挥着相同的作用。

马克斯－普朗克神经生物学研究所和加州大学的科学家共同对体内缺少皮质醇的斑马鱼进行了研究。这些斑马鱼长期处于高度应激状态，且在行为实验中表现出了抑郁的症状。正常斑马鱼进入新环境时，会在最开始的几分钟里显得有些畏缩，游动也很犹豫。但好奇心很快就会占据上风，它们会开始探索新鱼缸的环境。然而，高度应激状态下的斑马鱼则很难适应新环境，它们会更强烈地表现出独处倾向，待在鱼缸底部一动不动。

不过，在水中加入抗焦虑药物地西泮（安定）或抗抑郁药物氟西汀（百忧解）后，这些斑马鱼的行为就会恢复正常。隔着鱼缸玻璃看到其他斑马鱼，以及其他多种社交行为，都能缓解它们的抑郁症状。

如果鱼类也能感到抑郁和焦虑，那它们是否也会主动缓解，想方设法让自己冷静下来呢？2011年，一篇题为"亲爱的，冷静，让我摸摸你的鳍"的头版文章就说了这样一件事。由里斯本高等应用心理学研究所的玛尔塔·苏亚雷斯带领的研究小组推测，珊瑚礁鱼类受到清洁鱼的轻抚后会变得更愉快，应激状态也会有所缓解。为了验证这个想法，他们设计了一个实验。

他们训练了32只来自澳大利亚大堡礁的栉齿刺尾鱼。一旦它们适应了圈养生活，就会被随机分配到应激组或非应激组。被分到应激组的倒霉蛋要被放进水深只能刚好没过身体的水桶内待 30 分钟。这一步骤会增加鱼血液内的皮质醇，而它正是测试压力时的参照指数。在这之后，应激组和非应激组的鱼都会被单独放到不同的鱼缸中度过两个测试阶段，每个阶段时长一小时，且每个鱼缸中都有一条人工制成的高仿清洁鱼模型。模型的形状和颜色都和为刺尾鱼等客户提供清洁服务的裂唇鱼非常相似。一半数量鱼缸中的模型静止不动，另外一半鱼缸中的模型有特殊的机械装置，能够轻轻摇摆着移动。

应激组的刺尾鱼会被移动的清洁鱼模型吸引，就像小孩见了糖果一样。它们会游到假清洁鱼旁边，把身体靠在清洁鱼身上。但它们只会对能轻抚它们的模型这么做。平均每条鱼会去找能移动的清洁鱼 15 次，但根本不理睬静止的清洁鱼模型。模型轻抚刺尾鱼也会缓解它们的压力，研究人员测量了所有刺尾鱼体内的皮质醇指数，和会动的清洁鱼同缸的刺尾鱼（包括应激组和非应激组）体内的皮质醇含量，比和静止清洁鱼同缸的鱼更低，皮质醇下降的幅度也和与模型相处的时间成正比。

在科学家说话向来有所保留的前提下，玛尔塔·苏亚雷斯总结道："我们知道鱼类能感觉到疼痛，因此它们可能也会感觉到愉悦。"

虽然媒体对鱼类抚摸彼此鱼鳍的报道有矫揉造作之气，但并不代表这在科学上毫无借鉴意义。这篇报道揭示了社会生活以及提高生活品质的重要性。文章证明鱼类会出于愉悦身心的目的去找清洁鱼，虽然这些移动的模型并没有完成清除寄生虫等工作，但刺尾鱼仍会反复拜访它们。

为了奖赏让个体生命不息、基因得以顺利传递的"好"的行为，动物演化出了愉悦这种感受。因此，我们在吃东西、玩耍、姿势舒服或发生性行为时会感觉良好。直到不久前，人们还觉得甚至仅仅推测鱼类感受到的是什么情绪都是不科学的。因此，大多数讨论只能局限在所谓的奖赏，即动物愿意付出一定努力得到某种东西的生理机制内。

对于哺乳动物来说，多巴胺系统在奖赏生理机制中起着关键作用。老鼠在玩耍时，大脑会释放出大量多巴胺和阿片类物质，而给它们使用了能阻断这些化学物质受体的药物后，它们就会失去对正常情况下会喜欢的甜食的兴趣（人类也是如此）。鱼类体内也存在多巴胺系统。如果给金鱼使用能够刺激其脑部多巴胺释放的化合物——比如安非他命或阿扑吗啡——金鱼就会表现出奖赏行为：受到安非他命影响的金鱼更喜欢在含有安非他命的区域内活动，而使用了戊巴比妥这种"愉悦抑制剂"的金鱼则能学会躲避它。在猴子、老鼠和人类体内，安非他命能够通过提高中央奖赏系统中多巴胺受体的效率形成奖赏效应。由于金鱼脑部也存在含有多巴胺的细胞，因此人们推测安非他命也能通过相同的机制在金鱼体内产生奖赏效应。和某些哺乳动物一样，鱼类也容易滥用难以抵挡诱惑的安非他命和可卡因。但是那些悄悄游到会动的清洁鱼模型旁边寻求抚摸的刺尾鱼并不会成瘾，那不过是一条鱼对愉悦保健按摩的渴求而已。[1]

鱼类的游戏

如果你曾得过奖、从三分线外投篮命中，或者见过家长玩闹着把孩子追得高兴地尖声叫喊，那你肯定知道快乐是怎么一回事。游戏就是一种能够产生快乐的行为。它对于动物，尤其是那些需要增强身体力量和协调性、学习重要生存及社交技巧的幼年动物来说非

---

(1) 原注：我得高兴地指出，实验结束之后研究人员将这些刺尾鱼放回了大堡礁的家中。

常重要。不仅如此，游戏也会产生心理影响：它会让游戏者觉得有趣。科学家已经花了大量时间研究动物的游戏行为，德国哲学家卡尔·古鲁斯早在 1898 年便出版了《动物的游戏》（*The Play of Animals*）一书。

想要研究动物的游戏并非易事。这是一种自发的活动，参与者会在游戏中感到轻松、愉快。人类观察到的大多数动物游戏都是偶然间发现的。

这对于田纳西大学的动物行为学家，长相酷似达尔文的戈登·M.布格哈特来说并不是什么难事。他从事动物行为学研究近 60 年，发表了上千篇学术论文，在其学术生涯中从不放过那些有挑战性的课题，其中就包括你不奢望能发现的动物游戏，或者用他写在自己网站上的话来说，是"'不会玩耍的'动物的玩耍行为"。

2005 年，布格哈特发表了迄今为止最全面的动物游戏研究成果。《动物游戏起源》（*The Genesis of Animal Play*）一书的封面上是一条热带鱼，一条养在鱼缸中且正用鼻子触碰水中温度计的雄性灰体蓝首鱼。布格哈特和弗拉基米尔·迪内兹、詹姆斯·B.墨菲两位同事发表了关于三条雄性灰体蓝首鱼与温度计互动的研究。这支 11 厘米长的玻璃管温度计底部加了重物，能够垂直悬浮在水中。在 12 次实验过程中，研究小组记录到温度计被这三条鱼推了 1400 多次，而每次实验中三条鱼都是被单独放进鱼缸中的。

每条鱼都有自己的风格。1 号鱼主要"攻击"温度计顶部，让温度计左右摇摆，最后停在垂直位置。2 号鱼喜欢围着温度计转圈，转的过程中时不时碰一下。3 号鱼会随意顶撞温度计底部、中部或顶部任意位置，这条鱼撞击时最用力，会让温度计在鱼缸里上下跳动，有时候还会卡在角落里，在隔壁房间都能听到温度计撞在玻璃壁上的巨大声响。

这算是游戏吗？布格哈特认为，游戏需要满足以下条件：

1. 这种行为不会让动物达到任何明确的生存目的，比如交配、觅食或争斗；

2. 这种行为是自愿的、自发的或者有益的；

3. 这种行为跟典型的功能性行为（性行为、领地行为、捕食行为、自卫行为、觅食行为）在形式、目的或时机上有明显的不同；

4. 这种行为会反复出现，但并不是神经质行为；

5. 这种行为只会在没有饥饿、疾病、拥挤或捕食者等应激源的情况下出现。

灰体蓝首鱼的行为符合以上所有标准。它们并不是捕食性鱼类，对温度计的攻击跟典型的觅食行为完全不同。有没有食物对它们用温度计寻乐的行为没有明显影响。性行为的可能性也可以排除。灰体蓝首鱼跟温度计的互动与它们快速猛击对手的行为有些类似，但重复次数更多——更像是拳手在打沙包练习，而且只有这些鱼在非应激状态，甚至可能是缺少刺激的情况下独处时才会出现。

实验用的鱼缸中还存在其他物体，比如小棍、植物和鹅卵石，为什么这些鱼单单攻击温度计呢？研究人员推测，灰体蓝首鱼可能是被物体被碰到后会反弹的特性吸引，就像那种底部系上重物、真人大小的充气小丑玩具，对着它打两下便又弹回到直立状态。动物行为学家尽力从动物的角度出发看待问题，布格哈特把温度计的反弹解读为"对手被激怒后永远不会成功的反击"。

这是实体游戏的例子，生物学家把两个个体你来我往的玩闹称为社交游戏。美国弗吉尼亚州动物避难所的前员工就讲了这样一个例子。她曾经和丈夫、几只猫以及一条独霸鱼缸的哥伦比亚英丽鱼一起生活。这条鱼跟家里的几只猫慢慢玩起了一种游戏，这几只猫偶尔会踮起脚爬到书架上喝鱼缸里面的水。而这条领地意识很强的英丽鱼会藏在鱼缸一角的芦苇丛后面，埋伏起来静静等候这些毛茸茸的入侵者露面。过往的经历教会这些猫先向水里看一看是否存在埋伏，但是英丽鱼知道这一点，因此会保持安静。只有当猫的舌头伸入水中的那一刻它才会突然行动，像小鱼雷一样从芦苇后面冲出来，铁了心要从那条粗拉拉的舌头上扯下一块肉来。如果猫感到水下有异动，就会趁舌头还没被鱼碰到时撒腿就跑。

这种猫鱼智斗游戏的参与者的表现表明，这只是安静室内生活中一点受欢迎的小插曲。游戏的任何一方都不会流一滴血，有时候，猫甚至会立刻扬着脑袋、闪着狡黠的眼光回来参与这场游戏。

这不仅仅是社交游戏，也是物种间的社交游戏。

游戏的第三个变体是独自游戏。2006 年，一位名叫亚历桑德拉·赖希德的德国语言治疗师去斯图加特市参观艺术之屋的展览时，亲眼见到了独自游戏的鱼。她把这场名为"艺术生活"的展览形容为一个由全国所有博物馆中隐藏珍宝组成起来的了不起的混合体。其中就有一个来自卡尔斯鲁厄市国家自然历史博物馆的大型水族箱，这个精致的展品容量约为 3700 升，里面生活着五彩斑斓、充满异域风情的各种鱼类。

身为爱鱼之人，亚历桑德拉在水族箱前花了很长一段时间观察玻璃那一侧发生的事情。她很快就注意到一条小小的、优雅的杏仁形的鱼，这条鱼的身体是华美的紫色，上面点缀着黄色和铁青色的斑纹。（她之后辨认出这是一条原产于亚洲海域的静拟花鮨。）这条鱼看上去似乎有目的地。它会在水族箱底部向一个方向游，碰到水族箱一端的玻璃壁后，就会突然向上游到水面。到达水面后，它会遇到从水泵中流出的水流，这个小旅行者就被水流推着像火箭一样回到水族箱的另一端。之后，它又潜回到水族箱底，再次踏上旅行。赖希德对我说："有趣的是，我认为自己是个悲观主义者，我的第一反应是这是一种圈养导致的刻板行为。但是这条小鱼看上去从中得到了很多乐趣。"

我问她为什么觉得有趣。"其他鱼大部分都只是没有特定目的地游来游去，而这条鱼看上去似乎铁了心要找些乐子。我特别想让其他鱼跟它一起跟着人工制造的水流享受疯狂之旅。"

无独有偶，布格哈特也曾在高大的柱状水族箱中观察到，其中的海洋鱼类会反复"骑着"水箱底部增氧气石中冒出来的气泡到达水面。他认为这对鱼来说是一种乐趣，对人类来说可能也一样。

跳跃使鱼快乐？

如果驾着气泡对鱼来说是件乐事，那它们是否也会跳跃着寻开心呢？如果你有过泛舟、垂钓或在湖畔河边观鸟的经历，那很可能见过鱼跃出水面的场景。我自己就见过很多次。根据平均律，这种事情往往发生在我朝另一个方向看的时候，而我将目光转回来时恰好只看到一丝水花。偶尔，我也能幸运地看到鱼的身体，比如我就曾见过30厘米长的大鱼和小小的2.5厘米左右的小鱼，它们跃出水面的距离超过自己的体长。

当然，鱼类为了躲避捕食者，走投无路时也会主动从水中离开。而海豚恰好会利用鱼类这种行为，它们会围成一圈，捕食半空中惊慌失措的鱼。但是正如人类也会为了好玩或者出于害怕而全力奔跑一样，不同的情绪也可能会促使鱼跃出水面。蝠鲼会让自己庞大的躯体（宽度达5米，体重达1吨）向上跃出3米再落回水面发出巨大声响，这种行为并不是出于恐惧。世界上有10种已知的蝠鲼，它们的空中绝技给自己赢得了"飞毯"的称号。蝠鲼还会成百上千集结成群，一起跃出水面。它们在跃出水面时大多计算好了会肚皮朝下落回水面，但有时它们也会向前空翻背部入水。雄性看上去是这种行为的发起者，因此有些人推测这可能是一种求爱行为。其他科学家认为也有可能是为了除掉寄生虫。不过，不管这种行为的目的是什么，我都觉得蝠鲼这么做的时候非常开心。

在佛罗里达州查萨霍维茨卡国家野生动物保护区清澈的水面上玩皮划艇时，我曾看到几群鲻鱼排列成优美的队形在水中游动，每一群都有 50 条甚至更多。鲻鱼是这里常见又漂亮的鱼类，它们尾巴边缘和身体后方的鱼鳍呈乳白色，背部有金属光泽，腹部为白色，两者之间的交界部位微微泛黄。它们喜欢跃出水面，且跃出时非常明显。大多数时候我能看到一条鱼连续跳一两次，不过有一次，我看到了七连跳。每次跳跃时，鲻鱼都能跃出水面约 30 厘米，跳跃长度达 60 ~ 90 厘米。

世界上有 8 种鲻鱼，没人确定它们为什么会飞出水面。它们往往侧身落回水中，因此有理论认为，鲻鱼是在尝试甩掉皮肤表面的寄生虫，而另一种观点则认为它们这样做是为了吸氧。水中氧含量低的时候，鲻鱼会出现更多的跳跃行为，这支持了这种所谓的"空中呼吸理论"，但是跳跃本身消耗的能量可能比吞空气带来的能量更多，因此无疑也降低了这种理论的说服力。

这些鱼跃出水面会不会也是为了好玩，就像一种游戏呢？戈登·M. 布格哈特曾公布过十多种鱼类反复跳跃空翻的事例，有时它们会越过漂浮在水面上的物体，比如木棍、芦苇、晒太阳的海龟，甚至是死鱼，而它们做这些事，除了自我娱乐外并没有明确的原因。

到目前为止，还没有人能用科学实验的方法验证这一有趣的可能性。也许有人应该抓几条聪明的鱼，把它们放进包括各种有趣设施，比如浪漫的音乐和会动的清洁鱼模型的豪华鱼缸里，然后在里面放上漂浮在水面上的能跳过去的物体。

半条泳衣

让我来讲一个我们都很熟悉的关于感觉的小故事。当我们经过事故现场、拿到一份包装精美的礼物，或在餐馆里偷听到一场争论时，内心都会产生这种感觉。这就是我们所谓的好奇。

阿拉斯加的一位科学家告诉我，她去牙买加度蜜月，在人烟稀少的海滩上游泳时遇到了好奇的鱼。当时她和丈夫正沿着一块礁石浮潜。她丈夫的水性很好，但沮丧地发现自己的新娘不会潜水。在试图指导她学习潜水失败后，他尝试了更为激烈的方法：

> 他使劲扯掉我身上一半的泳衣，然后向水下游去，把它挂在距离水面约 4.5 米处的一截珊瑚枝杈上。他大笑着告诉我，你当然想把泳衣取回来。

> 我天生不是个裸体主义者，即便我们周围没有其他人，我也会感到不适。我不断努力潜入水下，试图取回衣服，但都是徒劳。所有这些疯狂的行为对附近的珊瑚礁鱼产生了意想不到的影响。它们不仅没有躲起来，反而开始在我们身边聚集。我发现鲍勃的情绪也有所变化，嗯，很私密的变化。他朝我游过来，想要满足心底的欲望，可惜我的浮力太大，难以成人之美。不过，我们却对鱼的反应惊愕不已。小蓝鱼、刺盖鱼等生活在礁石附近的各种颜色、形状和大小的鱼都凑了过来，围着我们组成了一个闭合的环，面对着我们，看着我们。它们的身体和尾巴左右摇摆，看上去就像一个闪闪发亮的整体。

最终，那位丈夫可怜妻子，帮她取回了泳衣。随着热情渐渐消逝，鱼儿们也失去了兴趣，它们组成的圈子慢慢散了。两个笨手笨脚打算一享鱼水之欢的人被一群好事的鱼儿围起来这件事却让她觉得有趣。她好奇那些鱼是怎么想的，它们是否感受到了人类卿卿我我产生的能量。

由于鱼类在水中对感官刺激非常敏感，有些理论或许可以解释为什么这些鱼成了偷窥狂。作为视觉动物，我们直觉上会推测它们是被这对年轻恋人的举动吸引过来的，但也许是这两个人形成的电场或身体中的化学物质之类的东西勾起了鱼的好奇心。还有，可能那些鱼当时并不是出于善意的好奇，而是出于不安，在监视这对潜在的捕食者。这当然也可以视为另一种好奇，尤其是这两个人并不是它们熟悉的入侵者。

当鱼注意到人类时，我们就进入生物的另一种意识世界了。这件事会让人感到兴奋。毫无疑问，研究鱼类的情绪是一项极具挑战性的科学尝试。但正如我们所知，研究鱼类的情感也是有方法可循的，现在有越来越多的证据表明，某些鱼类会有各种情绪，比如恐惧、紧张、愉悦、快乐和好奇。

研究鱼类的思维要比试图研究它们的感受简单一些，接下来我们会看到，鱼类认知领域中的很多研究成果都可以说明这个问题。

第四章
<u>鱼的思想</u>

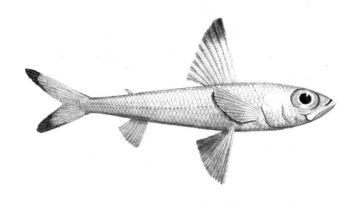

只要符合自然规律，任何匪夷所思的事都是真实的。

——迈克尔·法拉第

鱼鳍、鱼鳞和智力

> 每一种我们认为愚蠢无聊的动物都有令人惊叹的秘密，只是没人发现罢了。
>
> ——弗拉基米尔·迪内兹《龙之歌》

随着时间流逝，演化必定会让动物精通那些对自己来说重要的事。人类不会像黑猩猩一样善于攀爬，它们的上肢力量是我们的4～5倍。我们不会像猎豹一样跑得飞快，或者像袋鼠一样跳得那么远。如果让迈克尔·菲尔普斯和游得飞快的旗鱼比赛，菲尔普斯还没来得及换气，旗鱼就已经到达100米终点了。快速行动对于它们生存的重要性远大于人类，自然选择机制决定了速度更快的个体更有可能把自己的基因传给下一代。

心智方面也遵循相同的原理。如果大自然设置了一个智力问题，解决这个问题会带来巨大优势，那么经过一段时间，生物就会获得认知能力，虽然我们会因为它们体形小或者与人类亲缘关系疏远便以为它们并不能掌握这些技能。现代认知生态学认为，智慧是由动物日常生活所面临的种种生存需求塑造出来的。因此，有些鸟类能够记住它们把成千上万颗坚果和种子埋在了哪里，以便能在漫漫严冬中果腹；会打洞的啮齿类动物能够在两天之内将由数百条通道构成的复杂地下迷宫了熟于心；鳄鱼能够镇定地顶着树枝来到苍鹭筑巢地的下方，然后趁粗心的鸟儿俯冲下来收集筑巢材料时猛扑过去。如果你不知道爬行动物拥有计划和使用工具的能力，也不用觉得自己落伍，毕竟，在2015年相关论文发表并获得关注以前，科学家也不知道这回事。

鱼类的心智能力如何呢？虽然电影人自作主张拍了《小美人鱼》《海底总动员》和《海底总动员 2：多莉去哪儿》，但鱼类真的会思考吗？让我们来看看鱼能用自己的脑子做些什么。

深虾虎鱼的例子能够说明鱼类的智力水平。这是一种生活在大西洋东西两岸潮间带的小型鱼类。退潮时，深虾虎鱼喜欢待在靠近海岸的地方，躲在单独的温暖水洼里，它们能在这里找到不少美味的食物。但水洼并不能一直保护它们远离危险的安全港湾。章鱼、苍鹭之类的捕食者也可能来海滩觅食，这时，它们就得匆忙逃走。但一条小小的鱼能去哪里呢？事实证明，深虾虎鱼能用一种令人难以置信的方式，跳到旁边的水洼里。

它们如何避免跳到岩石上，最后曝晒而死呢？

深虾虎鱼有着突出的眼睛，两颊微微鼓起，嘴往外噘着，尾巴浑圆，7 厘米长的鱼雷形身体上布满了灰褐色污点状的花斑，这种模样看上去完全不像是能参加动物智力奥运会的选手。但从各个角度来看，它们的大脑都出乎意料地发达。小小的深虾虎鱼能趁满潮时一边游泳一边记住潮间带的地势，它们会牢牢记住低洼地势的分布，而这些地方在退潮后就会形成水洼。

这是认知绘图的一个例子。众所周知，人类会利用认知绘图帮助导航，而且人们一直认为这种能力是人类所独有的，直到 20 世纪 40 年代晚期，科学家在老鼠身上发现了同样的能力。此后，很多种动物都被发现拥有这种能力。

美国自然历史博物馆的生物学家莱斯特·阿伦森（1911—1996）证明，深虾虎鱼也有这种能力。就在人们惊叹于老鼠具有认知绘图能力的同一时期，阿伦森在自己的实验室里做了一块人造礁石。他用模仿捕食者的棍子戳自己造出来的水洼，迫使深虾虎鱼跳起来。之前有机会在实验室"满潮"时游来游去的鱼，有 97% 都能跳到安全的水洼中。而没有经历过满潮的无知小鱼的成功率只有 15%，跟随便乱跳没什么区别。只要经历一个"满潮学习期"，深虾虎鱼就能在 40 天的时间里记住逃生路线。

需要指出的是，这些鱼被从野外家园捕捉回来并放在陌生的环境中圈养，一定会在实验过程中处于应激状态。事实也的确如此，在阿伦森的研究过程中，有几条鱼生病死了，这表明它们在人工喂养的环境中生活得并不好。

其他研究也表明，个体表现能够反映出它们在野生微环境中的经验。海滩地区退潮时水洼较少，从那里捕获的鱼在实验中的成功率，虽然高于随机的概率，但仍比不上那些经验丰富的同类。最近的一项研究结果表明，生活在岩石水洼中的深虾虎鱼的大脑跟躲在沙坑里不需要东躲西藏的同类的大脑有些不同：需要跳跃的深虾虎鱼的大脑中，用于空间记忆的灰质更丰富，而沙栖的那些鱼的大脑中，视觉处理的部分更发达。

深虾虎鱼用大脑绘制地图的能力让它们能够在水洼之间精准地跳来跳去，这是生存需求练就高超智力的经典例证。作为鳄科动物行为及认知领域的专家，作家、生物学家弗拉基米尔·迪内兹说："通常人们提到'智力'一词时，指的是'能像我一样思考'。"这是一种非常自我中心的智慧观。我猜，要是深虾虎鱼给智力下个定义，它一定会把能在脑子里绘制并记忆地图囊括其中。

记住逃生路线

形成认知地图并能记忆数个星期不仅仅证明深虾虎鱼具有避免盲目跳跃的惊人天赋，也暴露了人类低估我们并不了解的生物的偏见。我不知道（金）鱼到底为何会落下这种名声，但它们传奇般的

"3秒记忆"一说至今仍存在于大众文化中（在网上随便搜索一下就能知道）。我仍然能够看到一家投资公司在机场打的广告，里面用公认的金鱼3秒钟记忆与维护业务联系的重要性形成对比。（我也得谦虚地承认，有时自己并不记得把手机或眼镜放在了哪里，这种时候，我的记忆还维持不了3秒。）

好记性对鱼来说的实用性并不逊于燕雀或雪貂。不列颠哥伦比亚大学的生物学教授托尼·皮彻回忆起多年前他在教授动物行为学课程时所做的课堂研究。当时学生们正在研究金鱼的彩色视觉。每条鱼都有一根颜色有着细微差别的喂食管，实验中证明金鱼有良好的彩色视觉。实验过后，这些金鱼被放回到水族箱里。第二年，其中一些金鱼跟其他一些没有参加过这一实验的金鱼混在一起，又参加了同样的实验。当它们被放在实验环境中时，参加过实验的金鱼很快就把自己安顿在之前用过的管子里，显然记得去年实验中自己管子的确切颜色和（或）位置。

针对鱼类记忆的研究并不罕见。1908年，密歇根大学的动物学教授雅各布·赖格哈德公布了一项研究结果。在实验中，他给肉食性的笛鲷喂死沙丁鱼。有些沙丁鱼用颜料染成了红色，有些则保持原样。不管沙丁鱼颜色如何，笛鲷对两种鱼都是狼吞虎咽的。但是当赖格哈德往红色沙丁鱼的嘴里缝上会产生刺痛感的水母触手，以这种阴险的方式让沙丁鱼变得难吃时，笛鲷很快就不吃红色沙丁鱼了。20天后，笛鲷依然不会碰红色的沙丁鱼。这个实验不仅证明笛鲷有记忆，还证明它能够感受到疼痛并从中吸取教训。

我最喜欢的鱼类记忆研究来自对鱼类认知特别感兴趣的生物学家克伦·布朗。他是《鱼类认知及行为》（*Fish Cognition and Behavior*）一书的编者之一，这本书促进了当下人们对鱼类思维能力认识的转变。

布朗从澳大利亚昆士兰州的一条小溪中收集了一些成年杜氏虹

银汉鱼，并把它们带回自己的实验室。这种鱼因为身体两侧的鱼鳞呈现带状的万花筒般的鲜艳色彩而得名，成年虹银汉鱼体长约 5 厘米，布朗所抓的鱼介于 1 ~ 3 岁之间。他把鱼放进 3 个大鱼缸里，每个缸里大约放 40 条，之后给它们一个月的时间熟悉周围环境。

实验当天，他随机从鱼缸中取出 3 条雄鱼和 2 条雌鱼，并将其放进实验鱼缸。实验鱼缸装有皮带轮系统，能够拉着一张垂直放置的拖网沿鱼缸长边移动。拖网的孔径不足一厘米，这些鱼能够透过拖网清楚地看到另一边的情况，但自己的身体没办法穿过网眼。拖网中央有一个孔径为 2 厘米的略大的网眼，当拖网从鱼缸一端移动到另一端时，这个孔会给鱼提供逃生通道。

布朗给鱼 15 分钟时间适应新环境，然后用 30 秒的时间将拖网从鱼缸的一端拖到另一端，并在距离鱼缸壁 2.5 厘米处停下。之后他将拖网取下来，重新放到起始位置。这是一个完整的测试。随后同样的测试还会进行 4 次，相邻两次中间间隔 2 分钟。1997 年，布朗对每组 5 条、共计 5 组鱼进行了实验，1998 年，他又对这批鱼进行了另一次实验。

在 1997 年的实验中，虹银汉鱼在第一次测试时惊慌不已，毫无规律地四处乱冲，倾向于待在鱼缸的边缘，显然不知道怎么做才能逃离逐渐靠近的拖网。它们中的大多数最终被困在玻璃和渔网中间。之后，它们的表现稳步提高，第五次测试时，每一组中的 5 条鱼都能从中间的孔洞里逃出来。

11 个月之后，实验重新进行。中间这段时间里，这些鱼完全没有见过实验鱼缸和拖网，但在这次实验中，它们的恐慌程度明显比前一年低。它们在第一次测试时就能找到孔洞并从里面逃出来，其逃生率跟 1997 年最后一次测试的结果差不多。"看上去它们就跟没有中断地连续做了 10 次测试一样。"布朗这样告诉我。

11 个月的时间几乎相当于虹银汉鱼三分之一的寿命。对于只发生过一次的事情，这段记忆时间可以说是相当长了。

鱼类能够记住很久以前事情的例子还有很多。研究表明鱼类会在长达一年的时间里避免咬钩，盖斑斗鱼在遭到捕食者攻击后的几个月里都会避免进入攻击发生的区域。除此之外还有很多逸闻趣事，比如一条叫作宾利的圈养苏眉鱼的故事。当习以为常的开餐锣声停用几个月后再次出现时，宾利仍然会立刻冲向投喂它最喜欢的枪乌贼和虾的地点。

生活和学习

记忆和学习的关系错综复杂，因为要记住一件事，必须首先了解它。"哺乳动物或鸟类展现出来的几乎每个学习成就，都可以在鱼类中找到类似的例子。"鱼类生物学家斯特凡·雷布斯这样写道。如果你想通过卖弄难懂的鱼类术语给别人留下深刻印象，可以试着飞快说出鱼类的以下几种学习行为：非联想式学习、习惯化、敏感化、假性条件反射、经典条件反射、操作性条件反射、回避学习、控制转移、连续逆向学习和交互学习。

你能在 YouTube 网站上看到用响片训练金鱼穿过圆圈、把小球推进微型球门的视频。这是通过条件反射或联想式学习获得的技能。你可以在金鱼做目标行为的同时给它一个刺激，比如一道闪光，紧接着给它食物奖赏。这样鱼类很快就能学会将穿过圆圈和闪光奖赏联系在一起。最终，它们也能在闪光单独出现时穿过圆圈，哪怕没有食物，也会满怀希望地执行任务。人们也能用同样的响片训练法训练狗、猫、兔子和老鼠。

（只要稍有谦卑之心，我们就能意识到鱼是人类的俘虏，在上述这样的实验中，我们是处于掌控地位的一方。在很多实验中，我们并没有给鱼所需的多样、宽敞的空间，相反，它们生活在几乎可以说是荒凉的受限空间内，没有同类的陪伴，也几乎没有任何能够藏身的地方。如果动物获得食物的唯一方法就是把一个小球推来推去，那它很可能会这么做。如果我们处于类似的情景，大概也会这么做。但从另一个角度来说，这种方式比那些只给食物、没有其他任何"娱乐设施"的圈养方法更可取一些。）

用鱼缸养鱼的人经常说，他们的宠物似乎知道什么时候该喂食了。简单的圈养实验就能证实这一点。比如，克伦·布朗和他的同事早晨会在鱼缸的一端给埃氏短棒鳉（当地人把这种鱼叫作"主教鱼"）喂食，晚上在另一端给它们喂食。经过约两周时间后，这些鱼就会在适当的时间出现在适当的地点。金体美鳊和神仙鱼需要 3～4 周才能掌握这种所谓的"时间地点学习"。相比而言，老鼠学习所需的时间更少一些，大约是 19 天，而园林莺能够在 11 天之内学会包括 4 个地点、4 个时间段在内的更复杂的内容。这些数字的说服力有限，因为在这些实验中，我们假定它们在不同时间对食物——学习实验中使用的激励因素——的兴趣一样。但事实上，一般鱼类的进食频率（一天两次）比小型鸟类（每隔几分钟就进食一次）低得多，因此让它们保持对学习实验的动力更加困难，其学习速度也可能因此看上去更慢。

鱼类快速学习的能力，能用来提高人工孵化的鱼类在野外放生后极低的生存率。在圈养环境中长大意味着它们一直绕着圈游动、会定时获得食物，且没有面对过危险的捕食者，这和野外生存有着天壤之别。跟原本生活在野外的同类相比，它们缺少在现实世界中的生存技巧。为了给垂钓爱好者创造足够多的鱼群数量，全球每年会放生约 50 亿条人工养殖的鲑鱼，其中只有 5% 能活到完全成年。研究表明，人工繁育多代的动物会失去辨认捕食者的能力，而这可能是因为这一能力在圈养环境中并不会给它们带来任何生存益处。

但是，巴西米纳斯吉拉斯天主教大学的生物学家弗拉维亚·梅斯基塔和罗伯特·杨会让幼年的尼罗口孵非鲫接触锯脂鲤标本（标本会用透明的塑料膜包裹起来，以防向水中散发出特殊的气味），然后迅速用渔网抓住鱼缸底部的尼罗罗非鱼，很快，这些鱼就会将不愉快的被捕经历跟见到捕食者联系在一起。经过 3 次这样的实验后，尼罗罗非鱼见到锯脂鲤标本就会迅速向四处逃跑，以期用"散射效应"迷惑捕食者。经历过 12 次被捕后，之前毫无经验的小鱼会改变它们的反捕食策略，选择游到水面保持不动。对照组的尼罗罗非鱼不会被渔网捕捉，最初它们会避开锯脂鲤标本——这是鱼类见到新鲜的陌生物体后的典型躲避反应，但很快就直接无视它了。经过训练的鱼，在完成最后一轮训练 75 天后再次进行实验，有超过一半的尼罗罗非鱼仍然记得之前学会的技能。

　　跟大多数研究鱼类认知的实验一样，这些实验都是以硬骨鱼为对象进行的。那么板鳃亚纲鱼类（鲨和鳐）在学习方面的表现如何呢？早在 20 世纪 60 年代，人们就发现铰口鲨在辨别黑白实验中的表现与老鼠相当，这两种动物在训练 5 天后都达到了 80% 的成功率。德米安·查普曼和海洋生物保育研究所通过回放实验表明，长鳍真鲨能够学会趁渔船关掉引擎时对它们进行侦查，因为关掉引擎意味着渔船捕到了鱼，而长鳍真鲨有机会在渔夫把鱼捞上船之前抢走猎物。这些行为表明长鳍真鲨也有智慧。

　　在针对软骨鱼解决问题能力的研究中，来自以色列、奥地利和美国的生物学家把难以获得的食物放到一种生活在南美洲的淡水鱼卡氏江虹面前。在野外环境中，这些卡氏江虹以泥沙中的蛤蚌、蠕虫等小动物为食，需要把它们从沙子里挖出来吸进嘴里。

　　在训练阶段，5 只年幼的卡氏江虹很快就明白了一截 20 厘米长的塑料 PVC 管里有一块食物，并且学会了利用水形成吸力使食物块朝自己移动，并最终成功吃下食物。两条雌性卡氏江虹中的一条在所有测试中都成功地吃到了食物，这可能是因为它先观察了其他卡氏江虹，然后才进行自己的第一次尝试。两天之内，5条卡氏江虹都掌握了这项技能。它们使用的策略并不一样。两条雌性卡氏江虹像波浪一样挥动鱼鳍使管内形成水流，从而让食物朝自己移动。三条雄性卡氏江虹有时候用这种方法，但更多时候会把自己的碟状身体当成吸盘，或者把吸水和挥动鱼鳍两种方法结合起来。（研究人员并不确定这种性别差异是巧合，还是恰好反映了这种动物在觅食方式上存在的性别差异。）

接下来，实验者增大了难度。他们在管子两头分别装上了黑色和白色的连接件。黑色连接件中有网眼，会把食物挡住，而白色连接件中没有网眼。每条卡氏江虹都经过8次测试，测试结束时，所有鱼都成功地从白色连接件一端把食物吸了出来。有趣的是，5条卡氏江虹都在这个阶段的实验过程中改变了策略。总体而言，它们都从使用一种方法变为同时使用两种方法。一条雄性卡氏江虹还试图向管子里喷水，把食物冲出来。

这些实验表明，卡氏江虹不仅具有学习能力，还能用新的方法解决问题。它们会用介质控制物体——在实验中表现为用水获取食物——这表明它们能够使用工具。更重要的是，能做到远离有强烈吸引力的线索（管子一端的食物气味），并从另一端尝试不是一件简单的事，这意味着它们必须对抗自己与生俱来的追随化学信号的冲动，这需要灵活性、认知能力和一点点决心。

可塑造的心智

你可能会认为，我之前提到的老鼠和铰口鲨学习行为中20%的失败率是一个相当可观的数字，一种动物必须达到百分之百的成功率才有可能被视为智慧生物。不过，跟其他动物一样，鱼并不在意自己的测试分数。它们并不是通过机械遵守固定生活模式而成功生存下来的，演化本身就要求它们灵活而好奇，敢于尝试新的角度，跳出条条框框（或者管子）思考问题。即使严格训练的鱼也会一直尝试其他方法，这在不断变化的真实世界中是一种非常有用的行为方式。它们周围一直存在暴风雨、地震、洪水以及人类入侵的威胁，灵活机动对它们来说不是坏事。

即便如此，我也并不认为多种多样的鱼具有同样的智力水平。不同个体难免有的聪明有的迟钝。况且不同物种的演化历程也不尽相同，挑战性更高的栖息环境自然要求生活在其中的动物有更敏锐的头脑。正如我们看到生活在不同沿海环境中的深虾虎鱼所反映的情况一样，大脑区域的不同大小以及与之相关的智力水平差异，都会体现在不同的个体身上。

印度喀拉拉邦圣心学院的 K.K. 希娜贾和 K. 约翰·托马斯提供的例子，证明了生存环境中的挑战会如何影响动物的智力水平。在野外环境中，攀鲈既可以生活在死水中，也可以生活在活水中。研究人员分别从两条不同的印度溪流（活水）和两个附近的池塘（死水）中收集了攀鲈样本，并比较它们在迷宫学习能力方面的差异。想要走出迷宫，它们必须穿过鱼缸四面墙上的小门找到出路，而迷宫的出口处放着一块食物作为奖赏。

猜猜哪种鱼记路线记得更快呢？答案是生活在溪流中的攀鲈。它们经过 4 次测试就掌握了迷宫路线，而生活在池塘中的攀鲈平均要经过 6 次测试才能学会。而当研究人员在每扇小门旁摆了一小株植物作为视觉标记后，池塘攀鲈的学习表现几乎提到和溪流攀鲈一样的水平，而后者的表现并没有明显改善。显然，视觉标记对池塘里的攀鲈来说是有用的，而生活在溪流中的攀鲈则忽视了这些标记。

希娜贾和托马斯对这些行为规律做出了简洁的解释。与池塘相比，溪流这种环境有更多变化，它会常年受到包括周期性洪水在内的水流因素的影响，因此借助石头、植物和其他标志记住移动路径并不是可靠的方法。最可靠的参照物就是自己。因此，生活在溪流中的攀鲈因为更依赖"自我中心线索"而不是视觉线索，无法在没有标记的迷宫中表现出色。相反，在池塘这种相对稳定的环境中，标记也更加可靠，因此记住标记会有所帮助。（有趣的是，研究发现的同一物种在种群水平间的差异也能证明演化正在进行。你可以想象，如果这两个种群很多代都不进行交配，那么它们最终会演化到无法成功进行交配的地步。到那时候，它们就成了两个完全不同的物种。）

正是因为鱼的智力具有可塑性，人们可以训练它们纠正我们不喜欢的行为，这在人工养殖环境中非常有用。负责迪士尼动物项目的动物行为管理部的经理丽莎·戴维斯向我描述了他们如何纠正军曹鱼的行为问题。这些体形庞大的光滑鱼类能够长到 1.8 米长、78千克重。它们胃口特别好，如果在水族箱里生活，最后往往会超重。戴维斯照顾的军曹鱼也有这方面的问题，它们会在喂食时段打压其他鱼类。因此戴维斯和她的团队会训练军曹鱼游到鱼缸中特定的位置，在那里接受单独喂食。这个手段能让它们远离竞争环境，而其他鱼能够在 6 米以外的地方吃"自助餐"。其他鱼都能够吃饱，军曹鱼也能恢复到正常体重，双赢。戴维斯跟我说，"甚至连之前鼓出来的眼睛都回到了正常的位置"。

同样，当水族馆中的生物需要进行医务处理时，协作也是最好的方法。生活在香港海洋公园、亚特兰大乔治亚水族馆和奥兰多迪士尼"明日世界"主题公园中的蝠鲼和石斑鱼，都能通过正强化训练学会自己游到担架上被带走。利用正强化方法训练鱼类自愿参与到自己的护理和喂养过程中，更有益于圈养鱼类的生活，且能让其生活更有趣，或许还有利于打破我们对其智力水平的刻板印象。

到这里，我们发现鱼类并不是傻瓜，它们展现出了拥有智慧和精神生活的特征。但是它们是否拥有更高级的智慧能力，比如计划能力和使用工具的能力呢？

工具、计划、比猴还精

知识一路行来，智慧徘徊无依。

　　　　　　　　　　　　——阿尔弗雷德·丁尼生爵士

2009 年 7 月 12 日，贾科莫·贝尔纳迪在太平洋帕劳群岛上潜水时发现了一些不寻常的事情，并且幸运地用视频记录了下来。一条鞍斑猪齿鱼冲着一个埋在沙子里的蛤蜊吐水，把它挖了出来，并用嘴衔着带到近 30 米以外的一块大岩石旁。然后，这条鱼迅速甩头并选准时机及时松口，反复几次后，蛤蜊终于在岩石上摔开了。接下来的 20 分钟里，这条鱼用这种方法吃掉了 3 个蛤蜊。

贝尔纳迪是加州大学圣克鲁兹分校的演化生物学教授，也是公认的首位拍摄到能证明鱼类会使用工具的影像资料的科学家。不论从哪个方面来说，这都是值得关注的鱼类行为。长久以来，人们都认为使用工具是人类的独门绝技，直到过去 10 年间，科学家才开始认为哺乳动物和鸟类以外的动物也具有这种能力。

每次看贝尔纳迪的视频资料，我都会有新的发现。一开始，我并没有注意到这条野心勃勃的鞍斑猪齿鱼没有按照我们预想的方式，即从嘴里吐出水流从而让蛤蜊暴露出来。实际上，它背对着自己的目标，使劲合上鳃盖，就像我们快速合上书本时会鼓出风来一样产生水流。这种行为比使用工具更加复杂。这条鱼将一系列在时空上相互独立的灵活行为按照逻辑顺序一一完成，简直就是个规划师。这样的行为会让人联想到黑猩猩把小树枝和草秆伸到白蚁穴中取食白蚁，或者巴西卷尾猴把表面平坦的巨石当作铁砧，在上面用重石块砸开坚硬的坚果，又或者乌鸦把坚果扔到繁忙的十字路口，等待红灯亮起时猛地俯冲下来捡拾那些被车轮碾碎的果仁吃。

猪齿鱼像海中明星一样吸引了很多围观群众。好几种鱼都游过来看它吹沙子的实况，其他鱼则在猪齿鱼游向岩石时迅速加入进来，就像希望获得好素材加以引用的记者。

游到一半时，这条猪齿鱼停下来试了试沙子上另一块小一点的岩石好不好用。它漫不经心地试着扔了几下，然后继续赶路，似乎觉得这块石头并不值得浪费时间。谁会看不出这一段小插曲恰恰反映了普通生命总是会出现错误呢？

对任何动物来说，这些都是了不起的认知技巧。鱼类已经掌握了这些技巧的事实，驳斥了那些至今仍被广泛接受，认为鱼只具备非常低级的动物智慧形式的猜测。即便这条特殊的猪齿鱼就像鱼类中的斯蒂芬·霍金一样稀有，它的行为也同样令人瞩目。

但是，贝尔纳迪那天看到的并非个例。科学家在其他鱼类身上也观察到了类似的行为，比如澳大利亚大堡礁的邵氏猪齿鱼，佛罗里达州沿海的黄首海猪鱼，以及水族箱中的鞍斑锦鱼。鞍斑锦鱼的鱼食大得难以一口吞下，又硬得很难咬成小块，因此鞍斑锦鱼就把鱼食带到鱼缸里的一块石头上砸开，就像猪齿鱼摔开蛤蜊一样。观察到这个现象的是波兰弗罗茨瓦夫大学的动物学家卢卡什·帕希科，他先后15次观察到了鞍斑锦鱼摔碎鱼食的行为，而且是鞍斑锦鱼被圈养几周后，他才第一次注意到了这种行为。他认为这种行为"惊人地一致"且"几乎屡试不爽"。

顽固的怀疑主义者指出，这种行为并不是真正的使用工具，因为这些案例中的鱼并没有用一个物体去控制另一个物体，和我们用斧头劈开木头或者黑猩猩用树枝抓取美味的白蚁并不一样。帕希科把鞍斑锦鱼的行为描述成"发挥了工具的作用"。但是这并没有贬低这种行为的价值，因为正如他所说，用其他工具摔碎蛤蜊或鱼食对鱼来说根本就是不可能的。一方面，鱼并没有能够抓握的四肢。另一方面，水的黏性和密度太大，因而使用其他工具（尝试在水下垫着岩石用它砸开胡桃壳）时难以产生足够的动力。而且鱼类使用其他工具的方法只能是用嘴叼住，但这也是不可行的，因为食物的碎片会漂走，被其他饥肠辘辘的动物吞食。

和猪齿鱼利用水冲走沙子一样，射水鱼也会借助水来觅食，只不过它们把水当作捕猎武器。这些生活在热带水域中，10厘米长且银色身体两侧长了一排漂亮黑斑的"射手"，主要分布在从印度到菲律宾，从澳大利亚到波利尼西亚的河口、红树林及溪流水域中。它们的眼睛非常宽大，而且十分灵活，能够产生双眼视觉。它们还长着令人过目难忘的反颌，可以起到类似枪管的作用。它们用舌头抵住上颌凹槽后突然收缩喉部和口部，就可以快速喷射出高达3米的水柱。射水鱼会埋伏在甲虫或蚱蜢栖息的叶片之下的死水中，从1米以外喷水射击，有些鱼几乎能做到百发百中。

这种行为十分灵活。射水鱼能用单发的模式喷水，也能像机关枪一样猛烈射击。它们的目标可以是昆虫、蜘蛛、小蜥蜴、生肉块、猎物模型甚至是观察者的眼睛，还会顺带把他们叼着的香烟给浇灭。射水鱼也会根据猎物的体形大小填装"弹药"，对于块头大、身体重的目标，它们就会用更多的水来射击。熟练的射水鱼还能瞄准猎物正下方的位置，让猎物直接跌进水中而不是掉在地上。

用水做弹药只是这些鱼众多觅食方法中的一种。大多数时候，它们和其他鱼一样在水下觅食。如果猎物只在水面上方30厘米左右的位置，它们也可能采用更直接的方式，跃出水面一口咬住它。

射水鱼是群居动物，它们的观察学习技巧令人惊叹。它们超凡的捕猎技巧并不是与生俱来的，因此新手只有经过漫长的练习才能成功命中快速移动的目标。德国埃尔朗根－纽伦堡大学的研究人员研究了圈养在实验室里的射水鱼，发现缺乏经验的个体在目标以每秒 1.3 厘米的低速运动时也无法成功命中。但是观察了 1000 次其他射水鱼射击移动目标的尝试（包括成功的和不成功的）后，新手就能够成功命中快速移动的目标了。科学家得出结论，射水鱼能通过在远处观察其他个体习得有难度的技能，这一行为被称作"视角取替"。与圈养黑猩猩把受伤的椋鸟放回树上并帮它重新飞翔相比，射水鱼学习射击并不需要同等的认知水平，但仍然是从另一个角度理解事物的方式。

高速视频记录显示，射水鱼会根据飞行猎物的速度和位置采取不同的射击策略。使用研究人员所说的"预测主导策略"时，射水鱼会根据昆虫的飞行速度调整喷水的运动轨迹。如果昆虫飞得快，它们就会朝昆虫前方瞄准。如果目标飞得低（通常距离水面不到 18 厘米），射水鱼就会采取被研究人员称为"转身发射"的策略。它会水平旋转身体，匹配目标猎物的横向运动轨迹，从而让喷射水流能够"跟踪"目标在空中的运动路径，这种技术恐怕连橄榄球四分卫都会佩服不已。

射水鱼还会根据光在水和空气交界面发生折射导致的视觉错位调整射击，判断猎物的大小以及自己与猎物的相对位置。总结出规律后，射水鱼就能从不熟悉的角度和距离判断物体的实际大小。我很好奇射水鱼是否也懂昆虫学，能够用眼睛辨别昆虫种类，从而判断它们味道如何、是否体形太大吃不了或者太小不值得费劲，又或者是不是会蜇伤自己。

很有可能射水鱼喷射水流的历史跟人类投石的历史一样长。说不定早在铁器时代，人类的祖先开始在铁砧上敲打热金属之前，猪齿鱼就已经在用石头砸蛤蜊了。但是鱼能否像人一样，在面对意料之外的情况时主动发明工具呢？2014 年 5 月的一项研究中提到，用于水产研究而圈养的大西洋鳕能够发明新的工具。研究中，每条鱼的背鳍后部都固定了一个彩色塑料标签，方便研究人员辨认。鱼缸里有自动喂食器，只要拽一下末端绑了小环的绳子就能启动。鳕鱼很快就学会游到小环旁边，把它衔在嘴里用力一拽，等待机器放出来一点食物。

显然有些鳕鱼意外发现只要把小环挂在自己的标签上，然后游一小段距离就能启动机器。这些聪明的鳕鱼经过成百上千次"实验"反复练习这项技术，它也成为一系列精确调控且有明确目的的协调运动。这印证了鳕鱼行为的精确性，因为用新方法获取食物会比用嘴启动机器快不到一秒。它们能像例行公事一样跟一台没见过的机器互动从而喂饱自己已经非常令人震惊了，但有些鱼还能用自己身上的标签想出新方法，这表明鱼类的行为具有灵活性和创造力。

就人类目前所知，使用工具的现象似乎仅局限在有限的几种鱼当中。克伦·布朗指出，隆头鱼的智力水平在鱼类中的地位相当于灵长类动物在哺乳动物中的地位，以及鸦科动物（乌鸦、渡鸦、喜鹊和松鸦）在鸟类中的地位——而这些动物使用工具的能力都高于同类平均水平。也许生活在水下使用工具的机会比在陆地上少。不过，我们知道的猪齿鱼（隆头鱼科成员）和射水鱼，能够证明演化会包容那些解决问题的创造性方法，而且也证明可能还有很多鱼类拥有相同的能力。

狗脂鲤算不算其中之一呢？

形势逆转

鸟类潜入水中捕鱼吃的历史已经有数千年了。鹈鹕、鹗、塘鹅、燕鸥和翠鸟都是鱼类长羽毛敌军中颇为惊人的成员。塘鹅体长超过 1 米，体重可达 3.6 千克，能够从 15 ~ 30 米的半空中俯冲下来，收起翅膀入水前的速度高达每小时 96 千米，能够潜入 18 米深的水下，用尖尖的喙捕鱼吃。

不过有时形势也会逆转。

2014 年 1 月，科学家在南非林波波省叙罗达水库的人工湖上，用影像记录下了之前当地人声称出现过的现象。三只家燕掠过水面时，一条狗脂鲤一跃而出，在半空中将其中一只一口咬了下来。

狗脂鲤身体呈卵圆形，表面覆盖着银色的鳞片，是生活在非洲淡水水域中的捕食者。狗脂鲤包括几个物种，最大的一种能达到 68 千克重。狗脂鲤也叫虎鱼，因身体两侧有水平条纹，口中长有几排巨大、尖利的牙齿而得名。它们往往被渔夫视为重要的垂钓品种。

捕食燕子并不是偶然现象。发表这篇论文的研究小组指出，每天会发生 20 多起捕燕事件，也就是说在 15 天的调查期间，有多达 300 只家燕去见了上帝。

让我们来仔细想想这件事。燕子以其速度和灵活著称，它们是在飞行中捕食昆虫的鸟类。这些鸟在突然变成狗脂鲤的盘中餐之前，飞行速度在每小时 32 千米以上。我很难想象一条没脑子的鱼能成功抓住飞行中的燕子。如果没有事先盘算好，就算是一百万次满怀希望地跃出水面，也未必能抓到一只燕子。即使狗脂鲤紧贴着水面，在鸟类靠近时笔直起跳，就像噬人鲨跃出水面抓住海豹一样，恐怕这条鱼冲到空中的时候燕子早就飞走了。但是成功捕到燕子的视频记录显示，狗脂鲤并不是垂直起跳的。相反，燕子是从后面被伏击的。在视频中，狗脂鲤从燕子正后方以极快的速度起跳，并在落回水中之前追上了燕子。

这四名生态学家描述了狗脂鲤使用的两种不同攻击方法。一种是贴着水面紧紧跟在燕子身后，然后突然跃起抓住它。另一种方法是直接从约 45 厘米深的水下向上发起攻击。第一种方法的好处在于狗脂鲤不需要考虑水面光线折射导致的影像偏移，即从水下看，燕子的位置比实际靠后。但这种方法的缺点是会折损出其不意的感觉。

显然，至少有一些鱼学会了调整折射造成的角度偏差，不然第二种方法也就不会成功了。

对于这种行为，我心里有很多疑问。狗脂鲤是从什么时候开始出现这种行为的？这种行为是怎么产生的？它如何在狗脂鲤种群中传播？燕子为何没有做出远离水面飞行等躲避动作呢？

我决定直接向狗脂鲤捕食鸟类论文的第一作者，即南非彼得马里茨堡夸祖鲁－纳塔尔大学生命科学学院的淡水生态学家戈登·欧布莱恩发问。"叙罗达水库里的狗脂鲤建立种群的时间还不长，它们是由 20 世纪 90 年代晚期林波波河下游的狗脂鲤繁衍而成的。因此可以说这个种群非常年轻。"欧布莱恩回答说，"尽管狗脂鲤在大部分地区过得都还不错，但由于人类活动的影响，南非境内的狗脂鲤数量正在下降。因此，它已经被列入了南非的物种保护名单，正在引入人工栖息地。"

我问欧布莱恩捕鸟行为是如何产生的。他解释说，从狗脂鲤的角度来讲，这个水库相当小，他相信种群是被逼无奈，要么做出改变，要么等待死亡。他和同事发现，2009 年这一行为被最早记录下来时，很多体形较大的狗脂鲤身体状况都非常差。

对于捕鸟行为如何在狗脂鲤种群中传播的问题，欧布莱恩也有不少想说的："这似乎是一种习得的行为。体形较小的个体并不是种群中的佼佼者，它们更喜欢用'水面追击'的方法伏击，而不是从水下更深的地方发起攻击，因为一旦选择了后者，这些个体就必须纠正折射造成的偏差……我们知道狗脂鲤是非常爱投机取巧的，它们容易被其他个体的活力所吸引，这种情况下，它们就会开启疯狂竞争的进食模式。当燕子成群结队迁徙回来时，场面十分壮观，我认为就是在这段时期，幼年狗脂鲤学会了捕食。"

食鸟行为并非狗脂鲤独有。大口黑鲈、狗鱼和其他捕食性鱼类，在极少数情况下，也会跃出水面捕捉栖息在附近芦苇上的小型鸟类。

最近人们在法国南部的塔恩河拍到了大鲇鱼捕捉在河边浅滩饮水的鸽子的场景，它们会暂时跳上岸让自己搁浅，就和虎鲸捕捉海狮时所用的伏击方法一样。

这些鱼做出食鸟行为，不大可能是因为炫耀，它们确实是走投无路。叙罗达水库是 1993 年建成的人工栖息地，狗脂鲤也是以扩大种群为目的被引到这里的，但在南非其他地区，狗脂鲤的数量在逐步减少。之前的研究表明，叙罗达水库的狗脂鲤明显会比当地其他狗脂鲤花更多时间觅食（超出多达 3 倍），这可能正是湖内食物短缺造成的。这种行为甚至会让狗脂鲤成为这一地区十分常见的非洲鱼鹰的猎物。塔恩河流域出现的鲇鱼捕鸽子的现象可能也是由类似的困境造成的。1983 年，鲇鱼被引入塔恩河并在此栖居。不过正常情况下，鸽子并不在鲇鱼的食谱上，它们之所以要抓鸟吃，可能是因为鲇鱼经常捕食的小型鱼类和鳌虾在这一流域数量很少。如果说创新的动力来源于必需品短缺，那么这个道理对鱼类同样适用。

公布叙罗达水库发现的论文作者，引用了认为狗脂鲤会捕食鸟类的生物学家在 1945 年和 1960 年发表的南非其他地点类似发现的研究笔记。可能一条大胆的狗脂鲤幸运地捕捉到了毫无防备的燕子，之后反复练习，造就了精湛的技艺。之后，这种行为通过观察学习在种群内传播开来——毕竟对射水鱼的研究表明鱼类非常擅长观察学习。

无论捕食鸟类的行为是如何出现的，它都是一种可以灵活调整的认知行为。它具有投机性，因为狗脂鲤这种动物一般情况下不会出现捕鸟行为；它需要经过练习，执行起来也需要技巧（毫无疑问，狗脂鲤捕鸟未遂的情况很多）；而且几乎可以肯定，这种行为是通过观察学习扩散开的；狗脂鲤捕食鸟类的方法也不止一种。

至于燕子为什么还没有学会远离水面飞行从而躲避狗脂鲤，可能有以下几种原因：燕子根本就没有意识到自己会被鱼抓住，靠近水面飞行比较节省体力，大多数昆虫都在水面附近。要说这些鸟丝毫没有察觉到危险也有些牵强，毕竟它们不太可能没有注意到水里突然杀出的一条大鱼吃掉了附近的同伴。有可能被鱼抓走非常罕见，而在水面附近觅食的好处又太多，燕子才没有放弃低空飞行。

鱼和灵长类动物

如果鱼有创新能力，能够学会费力且危险的捕食方法，那它们是不是也能解开人类设计的时空难题呢？假设你现在饥肠辘辘，而我手中有两块完全一样的比萨。我告诉你左手上的这一块比萨两分钟之后就要被收走了，而另外一块则一直都在。你会先吃哪一块呢？如果你饿得能吃下两块，肯定会先吃左手上的那一块。

好，现在假设你是一条鱼，具体来说是一条裂唇鱼。你面前有两盘除了盘子颜色以外完全一样的食物。如果你先吃蓝色盘子里的，那么红色盘子就会被拿走，如果你先吃红色盘子里的，蓝盘子还在原地，可以吃到两盘。我们没办法直接告诉一条鱼那盘红色的会先被拿走，因此鱼必须通过经验获取这一信息。科学家在另外 3 种聪明的灵长类动物，即 8 只卷尾猴、4 只红猩猩和 4 只黑猩猩身上做了类似的实验。

你觉得哪一种动物的表现会更好呢？如果答案是猿猴，那你就吃不到比萨了 —— 因为鱼类解决这个问题的能力比上述任何灵长类动物都强。参加实验的 6 条成年裂唇鱼都学会了先吃红色盘子里的食物，而学习过程平均只需要 45 次试验。相比而言，只有 2 只黑猩猩在 100 次试验以内（分别是 60 次和 70 次）解决了这个问题。剩下 2 只黑猩猩和所有红猩猩、卷尾猴都没能学会先吃红色盘子里的食物。然后研究人员对实验设计进行了修改，以便帮助灵长类动物学习，之后所有卷尾猴和 3 只红猩猩在 100 次试验内学会了这一行为，另外 2 只黑猩猩还是没能学会。

在这之后，由德国、瑞士和美国的10位科学家组成的研究团队，让成功学会任务的个体接受相反的实验，即互换了两个盘子的角色。突然出现这样的变化，实验对象都显得很不适应。只有成年裂唇鱼和卷尾猴在100次试验内学会了先吃蓝色盘子里的食物。

研究人员对几条幼年期的裂唇鱼也做了同样的实验。它们的表现比成年鱼差很多，这也表明这种能力必须通过学习获得。其中一位研究人员拉德万·什里甚至用自己4岁大的女儿做了实验。他设计了类似的"觅食"实验，把M&M巧克力豆分别放在会被拿走和不会被拿走的盘子上。100次试验之后，她都没有学会先吃会被拿走的盘子里的巧克力。

据此，研究人员得出了关键的结论："裂唇鱼表现出来的那种老谋深算的觅食决定，并不是拥有复杂、有条理的大脑的物种能轻易学会的。"但是这些技能并不是没有来由的。裂唇鱼先吃哪一盘的精明决定，跟野外环境中的清洁鱼挑选哪位礁石鱼类客户的决策非常相似。这个实验设计恰好就是对这种情况的模拟。如果这种行为对某个物种的生存至关重要，那么这种动物很可能会十分擅长此道，而跟脑容量毫不相关。

清洁鱼以其他鱼类身上掉下来的食物残渣为食，由于清洁鱼并不清楚这些鱼之后要去哪里做什么，因此必须留意自己的"衣食父母"的行为。香蕉不会忽然消失，但是短暂停留的需要清理身体的鱼会。清洁鱼也有机会进行大量练习。即使是在相对清闲的日子，清洁鱼也会为上百个鱼类客户服务。而业务繁忙的时候，它们眼前一天会有2000多个各种各样的客户游过，其中一些是住在这块珊瑚礁的常客，另外一些（可能是其他物种）只是恰好经过的游客。清洁鱼能够辨别出两种客人，并且会首先服务那些如果没有立刻迎上去就可能会游走到其他地方接受其他清洁鱼服务的客人，而常客一直都在。红盘子、蓝盘子。

如果你跟我一样，就会为灵长类动物在我们看来并不困难的智力难题中败下阵来而感到失望。"猿猴并不成功的表现出人意料，这似乎是因为它们被这项任务弄得心灰意冷了。"作者写道。但原因肯定不是它们蠢，类人猿是出名的解谜高手，有些谜题甚至比人类解得更快更好。比如，面对数字随机分布在电脑屏幕上的这种空间记忆任务，黑猩猩的表现远远好于人类。它们也会利用有关浮力的阿基米德原理，把放在透明细管子底部的花生取出来。它们没办法移动花生或把手伸进管子里，因此会找到附近的水源，含一口水，然后吐进管子里，直到花生浮到它们能够到的位置。有些机智的黑猩猩甚至会直接往管子里尿尿。红猩猩能够记住自己生活的森林中成百上千棵树的位置，以及哪些树什么时候会结果子。它们的逃生能力也声名赫赫，它们会撬锁，甚至还会引诱管理员把钥匙交出来。

但这是两类不同的技能。裂唇鱼的技能对灵长类动物来说可能也没什么用，毕竟它们一出生就过圈养生活，每天有人规律喂食，也不会出现把食物拿走的情况。相反，裂唇鱼来自野外，它们必须自谋生计。

鱼类在某些智力任务上击败灵长类动物的事实，再次提醒我们脑容量、体形大小、长皮还是长鳞以及人类在演化历程上的优势地位等因素都不是评判智力的硬性标准。鱼类证明智慧是多种多样的，且与生存环境紧密相关，它不是固定的，而是一整套能够灵活调整的能力。多元智能理论的概念之所以诱人，原因之一就在于它能够解释为什么一个人可以成为优秀的艺术家或出色的运动员，却不擅长数学和逻辑。它也降低了我们以前给"智力"这个概念赋予的重要性，人类根据自身能力定义了智力，但这个概念对我们自己来说都显得有些狭隘。

到目前为止，我们所讨论的大部分内容都是鱼类个体的行为。但是选择独居生活的鱼类很少，大部分鱼都是社会动物，因此，研究鱼类社会能够揭示出鱼类更多不为人知的侧面。

第五章

鱼的社交

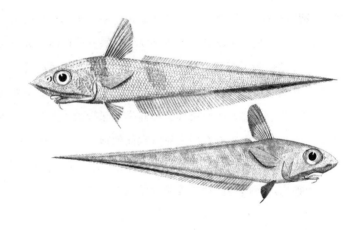

真正的朋友未必相识最早，却一生不离不弃。

——佚名

并肩浮游

我们这些长着异国面孔、说着异国语言的人必须团结起来。

——C.J. 桑塞姆

粗略扫一眼在珊瑚礁附近游动的鱼群，你可能会觉得它们不过就是一群无组织无纪律的乌合之众。但如果你仔细观察，就会发现它们选择和谁一起是有讲究的。作为动物行为学家，我在世界各地观光旅行的过程中见过生活在各种各样环境中的鱼，既有人工喂养的，也有野生的。从佛罗里达到华盛顿、墨西哥，我看到过鱼类以形形色色的方式聚集成群，一起行动。在佛罗里达州南部的比斯坎湾和基拉戈岛附近浮潜时，我遇到了几十种鱼。有些鱼独来独往，比如在海滩浅水处从我身边游过的魟鱼，还有悬在礁石上方一动不动的金梭鱼。不过大多数鱼都会和同类一起行动。大西洋柱颌针鱼会集结成小群停在靠近海岸、靠近水面的地方。黄线仿石鲈会聚集成紧密的鱼群，随着波动的水流游弋漂荡。18 只紫鹦嘴鱼组成的鱼群悠闲地在水底慢慢游动，咬珊瑚礁时发出咯吱咯吱的声音。黄敏尾笛鲷虽然社交活动较少，但我从未见过这种鱼单独行动。尽管多个物种组成的鱼群很常见，但鱼显然能够认出自己的同类，也更喜欢跟同伴待在一起。

这种与谁同行的偏好在水族馆这种圈养环境中就表现不出来了，因为那里每个物种的个体数量都更少。在参观位于华盛顿的史密森学会自然历史博物馆时，我在一个活的珊瑚礁展品前停下了脚步。这个水族箱中生活着大约 20 种不同的鱼以及少量无脊椎动物：虾、海胆、海星和海葵。里面有一对黄高鳍刺尾鱼，这种鱼通体都是柠檬黄色，身体就像是长了尖嘴的碟子，《海底总动员》中那只叫作泡泡的鱼就是黄高鳍刺尾鱼。这两条鱼紧挨着彼此，从来不会分开超过5厘米。两条雀鲷反复轮换着冲到水面上吞一口空气，然后立刻返回水下。另外一对雀鲷在附近从容地游动，彼此间保持几厘米的距离，和对方动作一致。里面还有两群小丑鱼，其中一对在靠近水族箱底部的海葵触手中安了家，另外三只在水面附近游动。在我面前的是一个有组织的群落，由社会性自主生物构成。尽管人工喂养的鱼类不能决定跟谁生活在一起，但它们仍然成功地形成了和谐共处的关系，这让我钦佩不已。

水族箱里的情况刚好能够生动地证明鱼类也有社交生活。它们会一起游泳，能通过视觉、嗅觉、声音和其他感官识别另一个个体，也能够自主选择伴侣，还会合作。

鱼类的基本社会单元是鱼群，即一群聚集在一起、有互动、有社交行为的鱼。鱼群中的鱼知道彼此的存在，并且会努力待在鱼群中，但它们各自游动，同一时间不同个体的游动方向并不一样。有的鱼群组织更加严格，这种鱼群中的鱼游动起来更有秩序，所有鱼都以相同的速度朝相同的方向前进，彼此间保持相对恒定的间隔。鱼类往往在觅食的时候组成一般形式的鱼群，就像我之前提到的紫鹦嘴鱼那样，而更有组织的鱼群形式往往出现在赶路的时候。一百万条沙丁鱼一起沿着亚得里亚海岸迁移时，就会形成高度组织化的鱼群。这种鱼群的规模更大，维持时间也更长。

2015年，我和女友在波多黎各西部海滨浮潜时，曾近距离观察到一大群高度组织化的鱼，有可能是大西洋青鳞鱼。正当我们盯着身体下方几米处可爱的珊瑚礁颜色的鱼群看时，忽然发现自己置身于一大团小小的银灰色鱼群中，它们正沿着海岸往北移动。每条鱼的颜色和大小都跟金属指甲锉差不多，相邻的鱼保持着约8厘米的间距。它们的大眼睛中闪着一丝担忧，依靠尾巴不停地迅速摆动向前，显得十分认真。因为当天有风，水下能见度比平时低，而这个鱼群中个体的数量和密度也很大，导致我们完全看不到它们上方的任何东西。我们就这样淹没在了鱼群里。我转身跟它们一起游了几秒钟，明明自己在游动，但处在周围环境中却是相对静止的，这种感觉很奇妙。它们看上去丝毫没有受到出现在它们中间的两个长相怪异的好事猿猴的影响。我瞥见深海方向的银色闪光，那是正准备伏击它们的更大鱼类的身体侧面。一分钟过去，这些小小的过客突然消失，就像它们出现时那样，继续自己北上的旅程。

为什么鱼会形成这样的高度组织化的大鱼群呢？生活在鱼群中的鱼行动更加方便，能更快发现捕食者，可以共享信息，且规模效应也会让鱼的力量和安全性大增。很多鱼同时向一个方向移动时会形成一股水流，这样鱼群中的成员就能节省体力，就像自行车队能够降低风阻一样。有证据表明，迁徙中的鱼类身体表面分泌的黏液能够减小摩擦，针对大西洋棘白鲳的研究表明，这种效应能够将移动效率提高60%。但随后针对从野生环境中捕获的大西洋美洲原银汉鱼的研究，却对这种降阻效应提出了疑问。研究人员向鱼缸中加入人工合成的降阻剂，其剂量远远超过一万条银汉鱼在自然条件下分泌出的黏液量，但他们发现鱼类在这样的鱼缸中游动时，摆尾频率并没有下降。

大型迁移鱼群中的鱼彼此并不相识，但是一般鱼群中的鱼很熟悉对方。研究发现，彼此熟悉的鱼组成的鱼群，比其他鱼群的行动效率更高。彼此熟悉的胖头鲹鱼群的凝聚力更强，行动起来气势更足，出现不畅的情况更少。彼此相熟的鱼所组成的鱼群能更多地监视捕食者，其中一两条鱼会通风报信，避免附近的捕食者发动奇袭。

虽然都处在同伴的环绕中，但鱼群中的不同位置有好坏之分。剑桥大学的鱼类生物学家廷斯·克劳泽做实验的时候发现，20条大头欧雅鱼（一种米诺鱼）组成的鱼群在不受干扰的时候，并不会表现出位置偏好。而当克劳泽在水中加入鱼类的警戒信息素后，大头欧雅鱼突然表现出了强烈的位置偏好，它们更希望在和自己体形相当的个体旁边待着。体形较大的大头欧雅鱼位于鱼群中央，而体形较小的则调整到捕食者更有可能攻击的危险外围。克劳泽没有发现它们有任何进攻的迹象，但鱼类就是莫名其妙地知道该待在哪里。

调整鱼群中的个体位置并不是鱼群唯一的反捕食策略。仅仅是身处群体当中的混淆效应，就可能会降低个体被捕食的风险。比如捕食其他鱼类的鲈鱼、狗鱼和银汉鱼就很难从大鱼群中捕捉到猎物。捕食者到底是怎么蒙的我们并不清楚，不过有一名生物学家把困惑的捕食者比作走进了糖果商店的小孩，因为眼前的各种糖果眼花缭乱，他反而无法决定该选哪一个。

同一种鱼组成的鱼群在视觉上具有高度一致性，能够增强混淆效果。一群米诺鱼中，用墨汁做了标记的个体更容易受到狗鱼的攻击。难怪黑色或白色的花鳉在面对黑白两色的鱼群时，会选择加入跟自己颜色一样的那组。鱼类倾向于选择没有寄生虫的鱼群而不是受大量寄生虫困扰的鱼群（这些鱼的身上有明显的黑斑），这可能也是因为这样自己在鱼群当中不会太过显眼。

除了数量带来的好处外，鱼群在集体行动时，能通过更多主动的方式降低个体被捕获的概率。正在逃跑的鱼群会使用喷泉策略，分成两群快速从捕食者身体两侧游过，然后在它身后会合。如果捕食者掉过头来，鱼群会再次使用同样的策略。虽然捕食者速度更快，但猎物身体更加灵活，如果游动方向相反，猎物就更容易躲避捕食者。喷泉策略就利用了这样一个事实。这种行为要求鱼群中的个体与同伴快速配合，同样的行为在迅速改变飞行方向的鸟群中也能见到（尽管个体之间会稍有延迟）。

喷泉策略的一个壮观变体是快速膨胀，也就是鱼群受到攻击时，所有鱼都会迅速从中央向外游动。鱼群的直径能在 0.06 秒的时间内迅速扩张为原本的 10 ~ 20 倍。尽管这种行动速度极快，但鱼群中的个体并不会相互碰撞，因此有人推测它们一定有办法知道鱼群要向哪个方向游动。

针对秀体底鳉的研究表明，它们能根据环境形成不同大小的鱼群。行为生态学家推测，较大的鱼群能更好地抵挡捕食者的攻击，而小鱼群由于竞争更少，更适合觅食。同时给卵生鳉鱼食物和警示信号时形成的鱼群，大于单独给食物时的鱼群，小于单独给警示信号时的鱼群，可能也是同样的原因。[1]

鱼群中间谁是谁

如果不仔细看，鱼群中的每一条鱼看起来都差不多，我们当然也会怀疑它们能否分清楚彼此是谁。事实上，它们不仅能分清楚，而且瑞士纳沙泰尔大学的鱼类行为研究组组长拉德万·什里表示，根本没有听说过哪个研究表明发现它们认不出彼此。鱼类能够利用发达感觉体系中的一种或多种感官识别鱼群中的个体，或者从其他物种当中认出自己的同类。在人工喂养的环境中，有些鱼类，比如真鲹，经过训练后仅凭嗅觉就能认出其他鱼类，而在野生环境中它们可能需要依靠其他感官信息才能判断。正如我们所知，鱼类也能够认出其他鱼类中的不同个体，比如清洁鱼能够准确分辨它的客户。

克伦·布朗研究了鱼类的个体识别行为。他非常想知道对于一条鱼来说，与谁为伴是否重要。答案是肯定的。经过 10 ~ 12 天，孔雀鱼就会熟悉和它一起生活的新伙伴，能认出至少 15 个同伴。这

---

[1] 原注：对鱼来说不幸的是，以鱼群形式进行反捕食的优点在人类面前反倒成了缺点，因为人类发明了专门捕鱼的工具，能够探测到鱼的活动，然后把一群鱼一网打尽。

种技能有什么用呢？用处之一就是，孔雀鱼和狼、鸡、黑猩猩一样，都会建立社会等级，因此了解一个个体的社会地位是很有必要的。聪明的孔雀鱼知道什么时候可以利用更高的社会地位欺负等级低的鱼，以及什么时候要服从地位更高的鱼，以免自己吃苦头。

不仅如此，孔雀鱼作为旁观者时也能充分利用这些信息：如果一条孔雀鱼见过另外两条孔雀鱼打斗，它很可能会在输的一方面前表现得非常强势。同时，参与打斗的雄性孔雀鱼也能清楚地知道是哪些鱼在围观，或者至少对观众的性别一清二楚。如果围观的是雌性，它们就会对自己的攻势加以控制，因为雌性不喜欢和攻击性强的雄性交配。但是如果围观的是另一条雄鱼，它们就丝毫不会手下留情。等级较高的鱼也需要个体识别能力，而这些观众效应就能够推断出不同个体的地位高低。比如，生活在非洲东部淡水中的一种叫作伯氏妊丽鱼的丽鱼在实验中就表现出了推断能力，如果 A 鱼比 B 鱼的地位高，而 B 鱼比 C 鱼的地位高，那么它就能推断出 A 鱼的地位一定比 C 鱼高。

鱼类个体的身份信息也有其他用处。以真鲹为实验对象的研究显示，它们能分辨出鱼群中不太会争夺食物的个体，且更愿意跟它们来往。如果把个体从之前的鱼群中分离出来，它们会更倾向于加入鱼缸中觅食效率较低的那一组。蓝鳃太阳鱼也会做这种事，或许很多其他种类的鱼也是如此。

鱼类能够认出另一条鱼是一码事，但鱼能认出不同的人吗？无数鱼类爱好者都能证明鱼确实会记得照顾过自己的人类。参与加州里弗赛德市生物监测项目的生态学家罗莎蒙德·库克给我讲了这样一个例子：

> 1996 年到 1999 年，我在科罗拉多州立大学渔业和野生生物系读博士后。学生们在我办公室附近的走廊里摆了一个淡水鱼缸，里面养着一条很小的小口黑鲈。暑假时学生纷纷离校，没

有人留下来照顾这条鱼，于是我提出可以帮忙。几周过后，我发现只要我一靠近鱼缸，这条鱼就会急切地游到玻璃面前并浮到水面上。我觉得它应该是认出我了。我跟一位渔业学教授说起此事，他斩钉截铁地告诉我，鱼是认不出人类个体的。

转眼到了秋天，走廊上又挤满了学生，我继续观察着这条鲈鱼的行为。有时我会在走廊另一边悄悄观察，但我从来没有见过它对其他人有反应。但是每当我走近鱼缸的时候，它就会过来迎接我，甚至当我还在 3 米开外被其他人围着的时候也是如此。除了它认识我，而且能从人群中认出我以外，我找不到其他解释。

库克对我说，后来她把这条鲈鱼放生到了大学的池塘里，那里禁止垂钓。

2014 年 4 月，我有机会跟美国鱼类及野生动物局的前员工聊了一次天，他当时正用渔网从波托马克河的死水区中捞出一些米诺鱼，并将其放在盛了水的桶里。这些小鱼是他喂养多年的大口黑鲈的食物。"有时我也会从 PetSmart(1) 买一些喂食用的金鱼，"他说，"不过这个更便宜。"

由于听了罗莎蒙德·库克和其他鱼类爱好者不计其数的故事，我问他觉得自己养的鲈鱼能不能认出他。

"当然能了。是我喂的它，我老婆和女儿在房间里的时候它根本就不闹。但只要我一进去，它就会游到离我最近的鱼缸一角，像小狗一样摇起尾巴。"

鱼类认人的传闻是否有科学依据呢？根据人们对射水鱼的研究，鱼类真的能认出人类。研究人员把两张人脸图像摆在射水鱼面前，它们很快就能挑出有食物奖赏的那一个。

---

(1) PetSmart 是全球最大的综合性宠物服务公司，其总部设在美国亚利桑那州。

边境巡视

识别其他个体的能力对于保卫自己觅食的一亩三分地非常有用。占地盘这种行为在鱼类中非常常见，它们往往会用各种方式向越界者表达"你走开"这个意思。它们会张开鱼鳍和鳃盖让自己显得更魁梧，会原地不动做些夸张的动作，会用嘴巴发出爆破音、改变颜色、追击对方甚至使出直接上嘴咬的绝招。

我曾在几年前动物行为协会举办的某场会议中听过一次极棒的讲座。讲座的主题是"如同出自鲁德亚德·吉卜林[1]作品集的故事"。其中，蕾妮·戈达尔对黑枕威森莺的研究改变了我对小型鸟类智力的看法。这种不到 14 克重的鸟有着极为出众的方向感，它们每年都要在美国东部和中美洲之间迁徙，而且每次都会回到自己曾经栖息的那一小片区域。这种五颜六色的鸟儿，能通过鸣叫和不断巡视重新建立起自己的领地。

值得注意的是，戈达尔发现雄性黑枕威森莺每一年都能记住熟悉的邻居。她给雄鸟回放这些邻居的叫声时，发现只要其他雄鸟的叫声是从它熟悉的地方传来的，实验对象就不会有异常反应。但是，如果她把音箱稍加移动，让声音从实验对象领地的另一侧传来，这些鸟就会紧张，就好像你隔壁的邻居出人意料地站在马路对面的房子前跟你打招呼一样。

这种鸟看上去个头小巧，却依然能在 8 个月后记得同伴的叫声，并且能将特定的叫声与特定的位置联系起来。这种能力令人称奇。你可能会好奇这跟鱼有什么关系。下面我们就来聊一聊漫游眶锯雀鲷。

雀鲷包括约 250 种五彩斑斓的小型鱼，它们生活在大西洋和印度洋 – 太平洋的热带海域中，因《海底总动员》而广为人知的小丑

---

(1)　鲁德亚德·吉卜林是英国作家，1907 年凭借作品《基姆》获得诺贝尔文学奖。

鱼就是雀鲷科的成员。尽管雀鲷的名字看上去温文尔雅，但这种鱼在保卫自己珊瑚礁中的地盘时非常骁勇。我曾在波多黎各珊瑚礁附近潜水时多次看到副金翅雀鲷从自己栖息的小洞中冲出来追赶离自己太近的大鱼。

那么，漫游眶锯雀鲷能否像戈达尔发现的黑枕威森莺一样辨别自己的邻居呢？在戈达尔开始对黑枕威森莺进行研究的几年前，罗纳德·思雷舍就在研究这一问题。思雷舍当时是迈阿密大学海洋科学专业的博士后，他决定将生活在巴拿马海滨附近珊瑚礁上的漫游眶锯雀鲷作为研究对象。

他想到了一个简单有效的方法，用来比较不同漫游眶锯雀鲷对其他鱼入侵领地的反应。他会首先辨认出不同领地的主人，然后把与之相邻领地上的"邻居"和生活在至少 15 米外的"陌生者"都抓来。接下来，他把邻居放在一个透明的 3.7 升的大瓶子里，把陌生者放在另一个同样的瓶子中。之后，他双手各拿一个瓶子，从邻居的领地开始，把瓶子慢慢移向"领主"的领地。

思雷舍对不同雄性漫游眶锯雀鲷做了至少 15 组实验，记录领主鱼什么时候会发起攻击，以及对这两个不明智的闯入者的攻击是否有差别。他也用类似的方法测试漫游眶锯雀鲷对同一属、亲缘关系相近的其他眶锯雀鲷，以及亲缘关系更远的蓝刺尾鱼的不同反应。

事实证明，领主鱼对陌生者和邻居的反应截然不同。它会对陌生者发起猛烈攻击，用力撞向瓶子，努力打破令它困扰的屏障并试图狠狠咬住对方。但是，它根本就不理会旁边瓶子里的邻居。当把邻居和陌生者换成其他物种的雀鲷或刺尾鲷时，领主鱼就分辨不出两者了。

思雷舍所做的同伴实验表明，这些雀鲷能通过体形大小，尤其是花纹的细微差别来辨别生活在周围的邻居。实验中用到的所有鱼最终都被放生到了原来生活的领地，研究人员希望它们能够在珊瑚礁上重新建立自己的幸福家园。

没有人验证过雀鲷能否像黑枕威森莺一样，在很久之后依然记得自己的邻居。也许它们不需要这项技能，因为它们并不需要迁徙。但假设它们可以，我也丝毫不会觉得意外。

和刺尾鱼一样，有些雄性驼峰大鹦嘴鱼也有领地意识。这些鱼因长了球形的骨质额头而得名，它们是生活在珊瑚礁中的大型鱼类，能长达 1.5 米，重达 75 千克。出现领土争端时，两条相隔几米的雄性驼峰大鹦嘴鱼会向对方游过去，额头相撞时发出响亮的咔咔声。这种行为和大角山羊彼此撞头的目的类似。两个雄性个体摆开阵势不断顶头，直到其中一方败下阵来逃离现场。尽管参与暴力斗殴需要承担一定的风险，它们都会尽力避免身受重伤或者死亡，因此会允许胜利的一方保留领地，而斗败的一方则会去另觅家园。在战斗中受过伤的鱼会在隆起的额头上留下小坑，一段时间后，由于鳞片和皮肤的磨损，这些地方会变白。出人意料的是，直到 2012 年，人们才发现驼峰大鹦嘴鱼 —— 或者其他任何海洋鱼类 —— 会互相撞头。科学家猜测，人们没能更早发现这种现象，可能是因为它本身非常少见。由于过度捕捞，驼峰大鹦嘴鱼变得越来越稀少，因此必须通过战斗才能解决争端的竞争者也就变少了。

有个性的不只是人

个体识别以及竞争行为的存在暗示着我们还可以研究一下鱼类社会的其他可能性，比如鱼类的个性。在陆生动物中，个性是广泛存在的。那么鱼类呢？

几年前，我有一次从家附近的亚洲餐厅外带食物。等待食物的过程中，我就在门口的鱼缸前晃悠，里面养着 3 条红尾高欢雀鲷。

红尾高欢雀鲷是一种原产于太平洋的鲜红色鱼类，体长约 20 厘米。这种鱼的英文名字叫作"garibaldi"，以意大利军事家、政治家朱塞佩·加里波第（Giuseppe Garibaldi）的名字命名，这是因为加里波第的追随者通常都会穿着标志性的绯红色或红色上衣。这三条鱼在餐馆里的家和珊瑚礁的自然栖息地比起来十分单调，里面只有一块假石头、几株塑料植物和铺满池底的彩色石子，而它们要在这里生活 15 年之久。

我几次去餐馆的时候都会观察这些鱼，发现它们其实是三个独立的个体，即有某种行为模式的社会单元。两条体形稍大的鱼中的一条总是单独行动，只待在鱼缸一端，而另外两条鱼则在鱼缸另一端的石块周围活动，独行侠通常会和它们保持一米的距离。这些鱼会表现出顺从、独断和深情款款的态度及行为。有一次，我看到独行侠和两条鱼中的一条在鱼缸中部打斗，反复快速冲撞对方。它们也会互相推搡、咬啄，但不会出现令人发指的暴力行为。还有一次，这对鱼中的一条倒着在底部游动，而另一条则用自己的嘴轻轻戳着对方的躯干。在野外环境中，雄性红尾高欢雀鲷会为配偶清理筑巢地点。我不止一次看到鱼缸底部铺满的石子中间出现锥形的凹陷——这些鱼正在焦急地筑巢。雄性红尾高欢雀鲷是领地意识非常强的动物，它们有时会咬啄进入自己筑巢区域的潜水者。我猜这三条鱼中有一对是配偶，另外一条则是单独的雄鱼。如果多出来的这一条是雌鱼的话，鱼缸里的氛围就会缓和很多。很多鱼都会在生命的不同阶段转换性别，红尾高欢雀鲷就是其中之一。

我观察这三条鱼的时间总计不过 30 分钟，这只是它们生活的很小一部分。但是这段时间我观察到了一些会伴随我一生的东西。我意识到自己看到的不只是三条简单的鱼，也是三个有自主独立生活的个体。它们在这里生活了 4 年，后来我再去餐馆时，发现它们已经不见了，取而代之的是另外几条不同物种的小鱼。

不管怎么说，那三条红尾高欢雀鲷无疑是有性格的个体。似乎所有的鱼都有自己的个性，不管它是一条不起眼的鲱鱼、中餐馆鱼缸里的海鲷，还是那条名叫"祖母"的礁鲨。听克里斯蒂娜·泽纳托聊起"祖母"的时候，你分明可以感受到她描述的是一个自己很在意的有个性的生物："它的性格很温和，靠近我的时候会让我觉得它想让我喂它、抚摸它。它总是很喜欢来找我。即便也有其他人在水下喂食，而我又离它比较远的时候，它也会先向我这儿游过来。有时候我让它离开，它还会很快转身游回我身边。"

"祖母"是一条年纪比较大的佩氏真鲨，也是泽纳托这位海洋探险家、动物保护主义者兼持证潜水教练最爱的动物。泽纳托是个运动能力很强、精力充沛又天不怕地不怕的人，她在巴哈马群岛的基地和世界各地潜水观察鲨鱼已经有 20 年了。她潜水的时候还会轻轻抚摸鲨鱼让它们放松，然后把它们口中的鱼钩取出来。对泽纳托来说，鲨鱼并不是物件，它们和人一样，是有好恶、有态度、有性格的个体。

泽纳托觉得这条鲨鱼苍白的体色就像老妇人的白发一样，因此给它取名叫"祖母"。她们相识已有 5 年。"祖母"是反复来到泽纳托潜水地的佩氏真鲨群中最大的一条。"祖母"从鼻子到尾巴的总长度为 2.4 米，根据体形来看，它大约有 20 岁了。

泽纳托对这条鲨鱼的喜爱并不是单方面的："它非常温柔，喜欢靠近我让我抚摸它。随着彼此信任不断加强，我和这些鲨鱼间产生了令人惊叹的羁绊。"

2014 年初，"祖母"消失了一段时间。在此之前，泽纳托发现"祖母"怀孕了，因此她猜测"祖母"应该是去寻找隐蔽的生产地点了。佩氏真鲨的繁殖速度比较慢，它们每两年生育一次，每次会产下 5 ~ 6 条小鲨鱼。时间慢慢过去，"祖母"依然没有出现，泽纳托开始担心起来。又一周过去，"祖母"终于回来了。在大海的摇篮中产下小鲨鱼后，它明显变得精神了："它游动得更快了。产下小鲨鱼之后，它非常需要食物。我能从它的身体语言和态度上看出来。"

重逢让她们无比幸福。

和鲨鱼在一起让泽纳托理解了它们不同的天性。"和鲨鱼的关系让我明白了'无条件'，也就是没有期望的真正含义。这和人类之间充满期望的人际关系大不相同，而且更加美好。我很关心'祖母'。看到它的时候我就会微笑，它能给我带来快乐。而它似乎也很享受我们之间的关系。"

泽纳托也非常喜欢自己遇到的硬骨鱼，有时还会在潜水时给它们喂食。在经常潜水的区域，她和"花生""低语者""间谍"三条博氏喙鲈成了朋友。她认为它们非常聪明，能知道自己的心思。

她是怎么区分这三条鱼的呢？"其实并不比你区分数学老师和妈妈更难。它们的颜色、外形、身体特征和行为都不一样。"

"花生"身长近 1.5 米，橄榄灰色的身体上分布着黑色和黄铜色的斑点，它是三条鱼中体形最大的。它曾经试图从鲨鱼嘴里偷一块悬在外面的鱼，但被鲨鱼咬伤，导致它右半边的脸不能变色，因此当它情绪放松、身体颜色变白时，右脸仍然像戴着黑色面具一样，就像是《歌剧魅影》里的演员。

另外两条鱼的外观也有特别之处。"间谍"体形居中，"低语者"是最小的。泽纳托觉得"间谍"是其中最漂亮的。"它的皮肤是纯色的，没有任何斑点或杂色，脸也更细长。"

不过，即使这三条鱼的体形和颜色都一样，它们也还是有很大不同。抛开面部残疾不说，"花生"是三条鱼中最外向的。它一看到泽纳托带了食物，就会直接冲她的脸游过来，而且能看到泽纳托表示"没轮到你吃"（手中拿一截 PVC 管）和"现在你来吃"（藏起 PVC 管）的手势。

"即使我没有带食物，它也会凑过来推我的手让我抚摸它。"泽纳托笑着说，"它特别喜欢我的链甲潜水服碰到它皮肤的感觉。"

"间谍"习惯于躲在泽纳托的视野范围之外，停在她左背或右背的下方，因此才有了这个名字。和"花生"一样，"间谍"也知道什么时候给鲨鱼喂食，什么时候轮到自己。

"低语者"是三条鱼中最羞涩的。它总是躲在泽纳托耳后，就像在跟她说悄悄话一样："给我一条鱼，给我一条鱼！"但是它像野猫一样冷淡，永远不会让泽纳托碰它。

"如果我转身或者移动，它也会随着我移动，永远不让我看到，除非我突然扭头，出其不意。"

"祖母"和"低语者"这样的生物破除了常见的偏见，鲨鱼并不总是领地意识很强的动物，硬骨鱼也并不总是原始呆滞的。对于有意识、有社交生活的复杂生物来说，自然选择作用于个体之间的差异就体现在个性上。你不需要皮毛、羽毛才能有个性，长着鳞片和鱼鳍的生物已经有个性了。

相亲相爱

鱼类没有丰富的面部表情，因此人类很难鉴别或同情它们。（不过想想海豚也不能改变面部表情，但人类对它们没有偏见。可能因为它们看上去很开心，或者因为人类知道它们是聪明的哺乳动物，又或者两者都是。）但是，鱼类已经有了能在交配、抚育后代、合作和保障安全的过程中形成亲密关系的坚实演化基础。无数例证说明，鱼类的社会关系并不只是单纯的点头之交。

萨布丽娜·戈马西安在新墨西哥州读英语专业研究生的时候养了几条鱼。她对鱼缸知之甚少，因此在买了一条 2.5 厘米长的半纹小鲃后，也并没有觉得鱼类的生活会多么丰富多彩。这条名为"弗兰基"的鱼和一只蜗牛、一只蛙一起生活在鱼缸里。它经常挑衅自己的室友，但对方总是没什么反应，看上去有点无聊。所以萨布丽娜又买了一条半纹小鲃，给它起名"佐伊"。新伙伴到来，"弗兰基"的行为很快就发生了变化。"佐伊"进入鱼缸时，它的身体都动了起来，水面上泛起涟漪，而这显然是因为兴奋。萨布丽娜这样形容："它很自然地爱上了新室友。这是个惊喜，毕竟它已经独居了很久。我见过别的鱼害怕新室友或者一点都不感兴趣，但'弗兰基'对新室友却一见钟情。"

"佐伊"最初对"弗兰基"一点都不感兴趣。相处久了，它也有了一些热情，这两条鱼在鱼缸里过起了幸福的生活。

一天，萨布丽娜清理鱼缸时，"弗兰基"跳了出去，落进水池里。"佐伊"开始疯狂地绕着鱼缸游动，看上去十分焦虑。萨布丽娜赶快把"弗兰基"放回水里，它已经不能游动，而且几乎失去意识了。"佐伊"立刻游过去推它，把它从鱼缸底部托起来，仿佛希望它赶快醒过来。"弗兰基"恢复了过来，不过前几天行动仍有些迟缓。在它恢复了行动和认知能力时，"佐伊"看上去更加积极。

除了推测这两条鱼建立了深厚的感情外，人们也想不出别的解释了。一条鱼经历了创伤，随后另一条鱼的行为发生明显变化，这表明它们并不仅仅是共同生活在一起而已。

还有一则和鱼类社交生活相关的趣闻。有一天，卡内基梅隆大学的高级图书管理员莫林·道利，在宾夕法尼亚州匹兹堡市附近的比奇伍德农场自然保护区内的小池塘边休息时，发现水中有两条鱼在一起游动。她是这样描述后来发生的事情的："一条鱼艰难地让身体保持直立，每隔几秒钟就会向身体一侧歪去，仿佛肚皮马上就要翻过来了。每当这条鱼往一边倒的时候，另一条鱼就会轻柔地用身体或鼻子顶一下，帮同伴恢复直立姿势。我第一次看到鱼类这么有善心。"

这个故事让我想起之前我们提到过的金鱼，它会游到受伤的室友小黑身体下方，帮助它游到水面上吃东西。

我敢说有一个场景你肯定会很熟悉，因为它经常出现在人工喂养的鱼身上。这个故事是纽约马里斯特学院的经济学副教授约翰·皮特斯给我讲的。约翰年少时养过很多鱼，印象最深的是他养在自己卧室里的地图鱼。地图鱼是捕食性鱼，唯一在这条鱼的鱼缸中生活过的是约翰给它当食物的可怜的金鱼。约翰非常喜欢这条漂亮的地图鱼，每天晚上都会用相同的语音语调对它说"晚安"。

时间一点点过去，约翰注意到这条名为"奥斯卡"的鱼会在靠近约翰床边的鱼缸一侧睡觉或休息，离床大概一米远的样子。一年后，约翰重新布置了房间中的家具。为了适应新陈设，"奥斯卡"的鱼缸被放到了另一面墙旁边，鱼也到了床的另一边。几天时间里，"奥斯卡"就改变了自己喜欢的地点。后来，不管约翰什么时候对它说晚安，它都会待在离床最近的玻璃后面。

这是友谊吗？也许是，也许不是。很多地图鱼都喜欢被人类温柔地宠爱。当然人类也会给它们喂食，因此这种行为也有可能只是希望获得食物奖励。

尽管地图鱼可以活 8 ~ 12 年，但"奥斯卡"只活了不到 3 年。金鱼也算报了自己的血海深仇。有一天"奥斯卡"生病了，很快，用约翰的话说它是"疯了"，使劲撞向鱼缸里的所有物体，上下游动打翻东西。当它停下来不再乱撞的时候，已经变得奄奄一息。后来约翰才得知金鱼对地图鱼来说是有毒的。

这样的小故事往往会被人遗忘。这有点可惜，因为它们对我这样的科学家还是有价值的。人类不仅会被故事感动，也会获知故事中展示出来的科学尚未（或不能）探索的动物行为现象。我希望科学家和鱼类爱好者能够分享自己的发现。或许这样，我们就能发现某种行为范式，吸引有魄力的科学家继续研究。

社会关系

孤掌难鸣。

——塞内卡

随着时间的推移，生物逐渐具有了个性、记忆以及识别其他个体的能力，也就具备了进行更复杂互动，即建立长期社会契约的条件。理发馆、餐厅这类提供现场服务的临街商铺要想保持生意兴隆，偶尔光顾的客人和忠实的回头客缺一不可。在充满竞争的世界中，只有拿出好的产品才能打造坚实的顾客基础。如果胡子刮得潦草，顾客下次就不会来，而如果食物售罄，也总还有别的地方可以吃东西。有时候，商家的失信行为会被曝光，顾客对商家的惩罚接踵而至，声誉毁于一旦。

珊瑚礁的圈子里也会发生类似的事情。

我们又要说回到清洁鱼和顾客的共生关系。这不仅仅是鱼类，也是所有动物当中最复杂、最微妙的社交系统。在这个系统中，一条或两条清洁鱼会示意开始营业。它们在特定的地点提供服务，可能会用游泳姿势和鲜艳的体色让营业的信号更加明显（这相当于鱼类世界中理发店门口旋转的红白蓝三色圆柱）。其他鱼会聚集到清洁站，排队等待清洁鱼提供服务。这些所谓的客户鱼，有时会摆出头朝上或者头朝下的静止姿势，示意自己准备好了。清洁鱼一般会以上下游动或摆动尾巴的方式靠近有兴趣的客户。它们用嘴啄客户的身体，吃掉上面的寄生虫、死皮、藻类及其他不讨喜的脏东西。客户享受了包括剔除寄生虫在内的身体理疗服务，而清洁鱼则吃饱了肚子。

提供和接受清洁服务的物种很多，这也证明了这种互惠行为有极强的实用性。鱼类的清洁行为是多次独立演化而来的，这种行为在世界各地的多种栖息环境中均有发现。生活在海洋中的清洁鱼包括很多隆头鱼科的鱼、某些鳞鲀、蝴蝶鱼、盘丽鱼、雀鲷、刺盖鱼、虾虎鱼、革鲹、海龙、鳔鱼、海鲫、鲗鱼、鲹和安芬拟银汉鱼。淡水清洁鱼包括丽鱼、孔雀鱼、鲤鱼、太阳鱼、卵生鳉鱼和刺鱼。包括几种虾在内的某些无脊椎动物也会提供清洁服务。而接受清洁服务的鱼有上百种，包括鲨鱼和鳐。其他接受清洁服务的动物包括龙虾、海龟、海蛇、章鱼、海鬣蜥、鲸、河马和人类。[1]

虽然我见过清洁鱼无所事事地等待下一位顾客，但它们也有非常忙碌的时候。一项在大堡礁展开的研究发现，一条裂唇鱼平均每天会给 2297 位客人提供服务。有些鱼类客户平均一天拜访一条特定清洁鱼的次数多达 144 次。这相当于在白天的 12 个小时里，每隔 5 分钟就去接受一次清洁服务！这听上去都能算是洁癖了。如果找清洁鱼的唯一目的是去除寄生虫和藻类，那么这些东西造成的感染肯定十分严重，不然也不需要这么频繁的清洁。这并不是贬低寄生虫在促成这类共生关系中的作用。澳大利亚昆士兰大学的亚历山德拉·格鲁特尔研究发现，平均每天每条清洁鱼会从顾客身上吃掉 1218 条寄生虫。格鲁特尔把珊瑚礁中的一位顾客黑鳍厚唇鱼在笼子里关了 12 个小时，在无法享受清洁服务的情况下，这条可怜的鱼身上的寄生虫数量增长了 4.5 倍。

在珊瑚礁鱼类社群中，清洁站的作用十分重要，以至于清洁鱼会对珊瑚礁上的物种多样性产生重大影响。格鲁特尔带领的研究团队，移走了生活在澳大利亚东海岸外蜥蜴岛小型珊瑚礁上的裂唇鱼，

---

[1] 原注：在亚洲的一些疗养温泉中，顾客可以享受特殊的付费服务，只要把脚伸进水池，里面饥肠辘辘的清洁鱼就会啄食客人的脚。

18 个月后，珊瑚礁上的鱼的种类只有之前的一半，而在珊瑚礁之间迁徙的鱼类总数量也减少到原来的四分之一。研究人员得出结论，很多鱼——尤其是在珊瑚礁之间迁徙的鱼——选择栖息地的依据就是是否有清洁鱼。这类物种减少的过程比较缓慢，把清洁鱼移走 6 个月后，物种多样性几乎没有受到任何影响。

客户也不是被动参与者。轮到自己接受服务时，它们会靠近清洁站并悬停在原地，展开鱼鳍，让清洁鱼能够到所有的角落和缝隙。有些鱼会张开嘴和鳃盖，让小体形的清洁鱼进进出出。清洁鱼有时会用嘴去撞客户的鱼鳍和鳃盖，示意对方张开以便检查。清洁鱼还会利用腹鳍拍打客户的身体，潜台词就是"这个位置请不要动，我要仔细检查"。

如果客户是大型捕食者，那就会很有意思。尽管鲨鱼或海鳝能轻易咬死清洁鱼打打牙祭，但把自己的服务员吃掉可不是什么明智之举。

相反，它们会对清洁鱼表现出体谅。比如，石斑鱼会用肢体语言帮助照顾它们的清洁鱼。如果把嘴张得很大，就相当于发出了邀请函。而清洁鱼忙不过来的时候，石斑鱼就会留意附近是否有危险。如果危险临近时，清洁鱼恰好在石斑鱼嘴里，石斑鱼就会把嘴合上一些，留下足够的空间让清洁鱼逃出来并迅速躲进珊瑚礁中的安全缝隙。如果清洁鱼在石斑鱼的鳃里，它也会做出类似的事，只不过是让鳃盖半开着。

钝吻真鲨会把身体向上倾斜并张开嘴巴，邀请清洁鱼为自己服务。清洁鱼游进鲨鱼的死亡之口时毫不害怕，它们似乎知道这位比自己大千百倍的巨大捕食者并没有恶意。

由于清洁鱼的技术难度相当高，它们也掌握了一些不可思议的认知技能。它们和客户的关系并不是随机的（想想一天去 144 趟的例子吧）。这种关系建立在相互信任的基础上，需要几周甚至几个月的时间才能确立，而且需要清洁鱼有识别客户的能力。每条清洁鱼都有众多客户，它们在心里存了一份强大的客户数据库。在选择实验中，清洁鱼可以决定游向两个客户中的哪一个，而且它们会在熟悉的客户身边待更长时间。有趣的是，客户则不会在实验中表现出这样的偏好，这可能是因为它们只需要记住哪里有清洁鱼就行，在那之后，它们就能从同一条清洁鱼那里反复得到清洁服务。

除了能记住给哪位客户提供了服务外，裂唇鱼还能记住服务的时长。假如一条鳞鲀错过了上一次的清洁，那么清洁鱼很可能会优先为它服务，因为这位客人的身上会积攒更多寄生虫。（这让我想起，蜂鸟也会根据自己上次采蜜的时间来安排给特定花朵采蜜的顺序。）在实验中，研究人员用四种不同颜色和图案的盘子给清洁鱼喂食，它们能学会选择食物补充更快的盘子。清洁鱼懂得选择哪个客户更划算。它们利用种类、时间和个体三个记忆维度来建立情景记忆，而这是生物学家眼中只有高等动物才有的认知技能。

如果鱼能够记住过去的事情，是不是也能对未来进行预判呢？塔希提岛上的一项研究表明，四处徘徊的裂唇鱼会根据所谓的"未来的阴影"来调整自己的行为。在人类社会中，这个博弈论术语是指人们倾向于和未来互动可能性更大的同伴合作。同样地，清洁鱼更倾向于和那些离自己活动范围近的客户合作，这样它们就能再次遇到客户。它们会尽量少吃客户身上的黏液，也会在清洁过程中避免客户身体晃动。这一研究给我们提供了为数不多的案例，证明非人类动物也能够根据伙伴在未来带来的收益调整合作水平。

没把握的生意

吃黏液？身体晃动？这会让清洁鱼和客户的共生关系更加复杂，

甚至可以说有点玩弄权谋的意思。这种共生关系看上去十分简单，双方都会获益，而且倡导礼貌和相互体谅，但是一旦有自私的一方利用了这种建立在信任和善意基础上的关系，它就会变得岌岌可危。随着科学家对清洁鱼及客户互利关系的研究更加深入，他们也发现了利益冲突和其他一些恶劣行为。

事实上，清洁鱼最喜欢吃的就是客户身上的黏液。这种东西比海藻和寄生虫更有营养，而且味道也更好。不用说，客人并不喜欢自己身上的黏液被吃掉。当清洁鱼啄食客户身体表面具有保护作用的黏液层时，客户的身体就会退缩从而发生晃动。这可能是因为疼，但是这种动作也会告诉清洁鱼它们啄了自己不该啄的地方，客户心知肚明。

清洁鱼和客户之间的利益冲突会产生一系列后果。在互利关系建立初期，清洁鱼会表现得更体贴。它们会背对着顾客，快速扇动腹鳍和背鳍抚慰它们。这种安抚行为可能是出于以下两种原因：一是让客户在清洁站停留更长时间，二是对客人身体晃动的安抚。面对肉食性的客人，清洁鱼会更多地做出安抚行为，以此降低存在威胁的客人对自己发起攻击的风险。无论饥饿的肉食性客人和吃饱了的客人身上的寄生虫量是否相同，前者都能得到更多安抚。如果客人恼羞成怒追击服务员，可能还会将其一口吞食，这对清洁鱼来说是一种实实在在的威胁——不过，还没有哪位潜水员见过这样的例子。

肉食性客户进入清洁鱼的服务范围时，攻击性也不会那么强，因此这些区域可以算是珊瑚礁中的避难港了。与能够提供除食物以外的有价值服务的鱼类相处时，捕食者的行为举止也会变得恰当得体，这是非常有道理的。我猜测，清洁鱼给客户的触觉刺激也起到了一定的安抚效果。

然而，有很大一部分客户并不是肉食性鱼类，也就是说这些客人并不存在捕食的威胁，清洁鱼不需要本本分分、谨小慎微地进行清洁工作。

那么这种没有威胁的客户会怎么做呢？它们有另一套策略来保证清洁鱼提供优质服务，基本上就是以牙还牙的思路。潜在客户在决定是否要由某位清洁员检查自己前，会观察它们的表现。通过观察，客户会在心里给特定的清洁鱼打一个形象分——这可不是我编出来的，它就像是鱼类世界中易趣网的买家评分机制。让顾客受惊更多且啄食黏液的清洁鱼生意更少，诚实的清洁鱼则更受青睐。这种服务质量保障体系能让共生关系良性发展。清洁鱼的口碑有好坏之分，要啄食黏液就会付出代价。因此清洁鱼在被观察的时候，会更加配合对客户的服务。

如果一位从没有接受过清洁鱼服务的新顾客上当受骗，只会选择迅速游开。但已经建立了信任的老顾客遭到背叛时，则会表现得像是受到了攻击，会追着清洁鱼到处跑。这种惩罚会让清洁鱼在以后的服务中更加配合。

清洁服务的质量也取决于获客难度的大小。在客户较少光临的珊瑚礁上，提供清洁服务的虾虎鱼会更加诚信，与吃掉寄生虫的数量相比，其吃掉的鳞片数量会更少。清洁鱼的行为诚信跟经济学中基本的供需关系决定价格的原理类似：竞争激烈时，客户的市场价值更高，因此清洁鱼也会努力提供更好的服务。

这种互利现象是自然界中最复杂且人类研究最深入的社会制度之一。这一领域的权威科学家勒杜安·卜沙里认为，裂唇鱼能够认出超过 100 位不同物种的客人，而且能够记住上一次的服务情况。除此之外，这种制度需要建立在信任、犯罪与惩处、选择、观众意识、口碑和讨好之上。这些社交动态表明，鱼类的意识程度和社会复杂性远远超出人类的印象。

虽然清洁鱼和客户的共生关系有利于两者的演化，但能够维持这种关系的其中一个重要元素就是愉悦感。这是自然界中鼓励"好"的（适应环境的）行为的手段。双方的一些互动表明，清洁服务本身体验就很好。顾客会主动要求清洁服务，甚至连它们没有寄生虫或伤口困扰时也是如此，而清洁鱼也会尽心尽力地用鱼鳍安抚它们。顾客还会改变体色，表明自己的心情变好了。感到愉悦本身就是一种适应性行为，能够证明清洁行为有不错的治疗效果。

虽然鱼类的认知能力令人惊奇，但清洁鱼及其客户不太可能意识到这种关系在演化上的重要意义。我从没听谁说过，客户找清洁鱼是因为它们明白在达尔文看来，这种行为能让它们更适应环境。它们这么做完全是因为自己想去。

表里如一

清洁鱼和客户之间的共生关系也容易被另一种更阴险的欺骗形式破坏。其他物种会模仿清洁鱼。它们几乎跟清洁鱼长得一模一样，而且会做一样的动作。这些骗子会趁顾客不备时咬它们的鱼鳍，然后马上逃走。

最成功的骗子之一就是纵带盾齿鳚了。这些体形小巧的骗子跟它们模仿的裂唇鱼一样灵巧。在一系列实验中，研究人员会让纵带盾齿鳚感受到顾客鱼的刺激，有些鱼会一直追逐着报复它，有些鱼则不会。报复行为会让纵带盾齿鳚选择其他物种作为顾客的概率提高3倍，以此避免更多的攻击。这不仅证明纵带盾齿鳚能记住过去行骗的结果，也证明报复行为是一种真正意义上的惩罚。赶跑纵带盾齿鳚这种惩罚对同类顾客鱼来说是一种"公共品"。

传统的演化理论认为，如果其他"搭便车"的个体不付出任何代价就能从某种行为中获益，那么这种行为就不会被保留下来。这种观点存在一个疑点，即为什么有的顾客会在已经造成伤害的情况下继续花力气惩罚纵带盾齿鳚。事实证明，纵带盾齿鳚有办法分辨出报复者和搭便车者（也就是那些不愿意自己报复，只想享受同伴报复行为所带来的好处的鱼），这些搭便车者以后遭受攻击的可能性更大。因此，如果你是一条被纵带盾齿鳚在鱼鳍上咬出个坑的顾客鱼，报复一下也是值得的。

这种分析很有道理，但似乎过于机械。我们把自己限制在演化的小算计中时，就低估了动物自身。我们就不能认为顾客之所以会反击，是因为它们演化出了情绪，演化出了最基本的愤怒吗？鉴于人们已经发现了鱼类拥有的情绪，这种解读本身也可能是合理的。

文化

考虑到其中的微妙差异，如果说清洁鱼和顾客的互利共生关系中包含了文化因素，我一点都不会感到惊奇。在生物学家眼中，文化是生物代际之间传递的非遗传信息。人类基因并不能直接让我们给自己文上文身或者去看电影，但很多人都会从他人身上学到这些东西。人们曾认为文化是人类专属的，不过现在，它已被证实广泛存在于哺乳动物和鸟类，尤其是那些寿命较长的社会性动物中间。在动物世界中，经由文化传递的特征包括乌鸦制造工具的行为、大象对迁徙路线的选择、虎鲸的方言、羚羊的公共求偶地等。

学习对于文化的延续来说至关重要。春末夏初，当我架好音箱，在大不列颠哥伦比亚省的田间和森林中播放蝙蝠觅食发出的回声录音时，几乎没有蝙蝠会回应。每年那个时候，只有成年蝙蝠会在外面飞，它们都知道最好的觅食地点在哪里，何必去管不知从哪里冒出来的陌生的觅食呼唤？而到了八九月份，小蝙蝠断奶后开始学习夜间觅食时，故事就会有所不同。我放置的音箱会引来成群的蝙蝠，似乎那些年轻、没有经验的蝙蝠要利用年长有经验的蝙蝠所发出的声音寻找觅食地点并捕食昆虫。三年后的夏末，我在得州南部观察无数墨西哥游离尾蝠在日落时分涌出岩洞时，小蝙蝠一定也在跟着年长的蝙蝠学习寻找觅食区域。那时候没有人把这种现象称作文化，但是当我想到不同代的蝙蝠的迁徙路线、栖息地点和觅食地点都一模一样时，就会觉得把它称为文化并没有什么不妥。

鱼类世界是否也存在文化呢？加州大学圣芭芭拉分校的罗伯特·华纳对双带锦鱼进行了长达12年的研究，他选择了分布在巴拿马圣布拉斯群岛附近已被人类深入了解的点礁，并对上面87个双带锦鱼的交配地点进行了持续观察。这些加勒比珊瑚鱼几乎全年都处在性活跃状态，每天都会交配。华纳发现这些鱼选择的长期交配地点是非常固定的。12年中，它们每天都会回到同一个地点交配。这种鱼的寿命最长为3年，也就是说至少有4代双带锦鱼都使用同一个交配地点。在华纳看来，这些点礁上还有无数条件不错的潜在交配地，但不知为什么，双带锦鱼就是不来这些地方交配。不仅如此，即便那段时间出现了较大的种群规模波动，这87个备受青睐的爱巢也没有一个停止使用。华纳想知道这些交配地点之所以受到青睐，是否因为它们拥有最佳的资源组合。如果是这样，那么把这里的原住民搬走，让一些新居民迁入，后者应该也会选择同样的地点。

于是，华纳移走了所有点礁上的双带锦鱼原住民，然后把从其他珊瑚礁上收集来的双带锦鱼迁入这里。这些新居民很快确定了交配地点，而且事实证明，它们并没有选择前人的宝地。它们确立了新的交配地点，而且连续几代新居民都对它表现出了和原住民一样的忠诚。在对照实验中，整体搬迁进来的所有双带锦鱼被放回到原来的礁石后，仍然会使用原来的交配地点（这样就可以证明搬迁和圈养并不是更换交配地点的原因）。华纳认为，对交配地点的选择并不是基于地点本身的质量，而是体现了文化传承的特点。[1]

双带锦鱼并不是唯一一种通过社会成规维持传统繁殖地点的鱼类。类似的还有鲱鱼、石斑鱼、笛鲷、刺尾鱼、篮子鱼、鹦嘴鱼和鲷鱼。鱼类在其他情况，比如日常性和季节性的迁移时也会表现出文化属性。

小型鱼类有众多潜在的捕食者，而和同伴的外貌、行动保持一致，则能有效避免被捕食者盯上。这也许能够解释孔雀鱼的文化一致性，它们会观察身边的鱼，记住觅食路线，哪怕领路鱼离开很久，它们也会使用同样的路线。即使有一条更快捷的路径出现，它们也会坚持选择——至少刚开始是这样。有趣的是，这会让人联想到人类也会在高效的新方法出现后，固执地沿用传统（比如手写便笺）。但是孔雀鱼的固执并不会持续太久。它们很快就会选择更有效率的路径，这一点表明，它们和人类一样，并不是传统的盲从者。

可悲的是，人类的捕捞行为会导致鱼类文化的丧失。2014年，一些渔业生物学家和生物物理学家的研究结果表明，人类掠夺式的渔猎活动以及我们对较大个体的偏好，导致鱼类迁移路线信息的传递受到了干扰。研究人员建立的数学模型基于三个影响因素：鱼类之间的社会关系紧密程度，获知信息的个体比例（只有大鱼知道迁移路径和目的地），这些获知信息的个体对某些目的地的偏好。他们发现，鱼群凝聚力及个体偏好是避免协调障碍和群体解散的最重要因素。

这种文化破坏很可能是不可逆的。文化并没有写入基因，一旦丧失，重建的可能性微乎其微。"只是恢复鱼类的种群数量是不够

---

(1) 原注：我必须承认，我在看这些研究论文的时候五味杂陈。一方面，我钦佩科学家的热忱和创造性，他们设计了各种巧妙方法来检验理论假设。另一方面，我也很同情这些动物，我们干扰了它们的生活。这些被强制迁走的居民会怎么想呢？我们大概也会好奇有文化属性的动物在离开自己热爱的家园时的感受。

的。"研究团队中的生物物理学家詹卡洛·德卢卡说,"它们基本上已经丧失了群体记忆。"这也许能够解释为什么破坏行为停止后,很多动物种群还是无法恢复。人类停止大规模捕鲸后的半个多世纪以来,北大西洋露脊鲸、西北太平洋灰鲸和很多蓝鲸的种群数量都没有显示出增长的迹象。鱼类种群数量太少时,商业捕捞难以维系,也是同样的道理。虽然人类将渔猎目标转向了其他物种,但鳕鱼、大西洋胸棘鲷(它以前的名字"黏头鱼"让人很难提起食欲)、小鳞犬牙南极鱼(也叫智利海鲈鱼)等存在代际文化信息积累现象的鱼类数量也并没有恢复。

尽管我们在海洋中进行了掠夺式的捕捞活动,但作为有文化属性的动物,人类倾向于看到自己众多社会活动中积极的一面。今天,大部分专横暴君和封建领主都被民主取而代之,民主政治选举出的领导者会更多考虑选民的需求。相比于过去,解决地区冲突更需要多国的共同努力。在鱼类社会中,美德、民主与和平同样占有一席之地,接下来我们就会讨论这一话题。

合作、民主与和平

如果没有众多个体的无私合作，真正有价值的东西是难以实现的。

——阿尔伯特·爱因斯坦

合作

2015 年 4 月，我在波多黎各西海岸一座别墅的二层阳台上俯瞰加勒比海时，观察到了一些很有戏剧性的鱼类行为。离海滩约 45 米远的地方忽然出现一阵骚动，几十条身长约 7 厘米的银色鱼一起跃出了水面。它们落回水面之前，有更多的鱼从水下跃出，让人不禁想起烟花表演的尾声。这个鱼群中可能有几百条鱼。而迅速打破水面的大一些的鱼鳍，则表明它们正被捕食者追赶。

当时的场面令人兴奋。逃生的鱼群动作很大，我和女朋友都能听到它们游向海岸时发出的穿梭和拍打水面的声音。鱼群一次又一次快速跃出水面，在傍晚的阳光下闪闪发光，然后是几秒钟的平静。它们急切地逃生，有些鱼甚至搁浅在海岸上，弹跳着翻动身体，等待下一波海浪将自己拯救。三条鱼会一起猛地向下跳，灵巧地从沙滩上救起一个同伴。其他鱼则暂时孤立无援地待在从滩涂中伸出的盖满海草的岩石上。

这群翻腾的鱼离我们只有几米远的时候，我们发现体长约 45 厘米的大型鱼，以整齐的队形游在它们上方。它们紧密的队形和捕食猎物的方式让我想到合作捕猎的海豚，后者会把一群鱼包围起来，把它们逼到岸上，趁猎物绝望地跃起逃生时，一口咬住那些不太走运的鱼。我们看到的捕食过程并没有包围，但这一队猎手似乎想利用海岸线让猎物陷入困境，然后发动伏击。

动画片中常常出现小鱼被大鱼吃掉、大鱼被更大的鱼吃掉这种无限循环的画面，但我们在阳台上看到的场景完全不是这样。在我看来，这种老套的画面把鱼描绘成被饥饿冲动驱使的盲目机器，而我们看到的是鱼类的团结协作。我们并不是最早发现这种现象的人。科学家早就知道一些鱼会协作捕猎，比如金梭鱼群会以紧密的螺旋队形游动，把猎物驱赶到更容易攻击的浅水区域。排列成抛物线形的金枪鱼也是在合作捕食。

狮子以合作捕猎的超群技巧闻名，虎鲸也是如此。科学家不知道狮子如何彼此示意捕猎时机已到，但它们显然会这么做。

鱼类是否也能表达自己的捕猎意图呢？

研究这个问题，最好从跟狮子有类似名称的海洋鱼类开始。狮子鱼（学名为蓑鲉）因为长了跟狮子类似的"鬃毛"而得名，这其实是细长带状的有毒胸鳍，不过从它们合作捕猎的方式来看，这个名字倒也没起错。2014 年，一项针对两种狮子鱼的研究表明，它们会用一种特殊的鱼鳍展开方式表达共同捕猎的意图。有捕猎意图的鱼会压低头部、展开胸鳍，然后靠近其他同类，迅速摆动尾鳍持续几秒，接着缓缓摆动其他胸鳍。收到信号的鱼会立刻以摆动鱼鳍的方式予以回应，然后两条鱼达成合作。在这种捕食行为中，一对相互配合的鱼会利用它们的长胸鳍把一条体形较小的鱼困住，然后轮流发起攻击。两种狮子鱼的示意动作看上去一样，有时合作伙伴也不限于同一物种，毕竟共同捕猎的成功率比单独捕猎时更高。它们也会与搭档分享猎物，这一点很重要，因为自私的行为很快就会让合作意愿土崩瓦解。

圆口副绯鲤的捕食方式更接近狮子，它们会给团队成员安排不同的角色。这种鱼身体呈流线型，体长 30 厘米左右，生活在珊瑚礁中，通体呈黄色，但也可以变成粉色和蓝色。它们会结成分工合作的小组进行捕猎，有的追赶猎物，有的堵截猎物。追击员负责把猎物从藏身的狭缝中驱赶出来，堵截员负责防止猎物逃跑。功能不同又互为补充的队员相互配合，其捕猎方式相当复杂精妙。

不过，鱼类的捕食者联盟还可以更加复杂。石斑鱼和海鳝将狮子鱼和圆口副绯鲤的策略合二为一，它们会用信号或动作交流意图，还会分成互补的角色，共同完成抓捕。2006 年，科学家勒杜安·卜沙里和三位同事在红海中首次发现了这一行为。在珊瑚礁上游来游去的蠕线鳃棘鲈会用全身快速抖动的方式邀请爪哇裸胸鳝和它一起捕猎，这两名队友会像朋友一样，慢慢在珊瑚礁上方游动。研究人员观察到几十个类似的互动案例，而蠕线鳃棘鲈和爪哇裸胸鳝共同捕获的鱼要比单独捕猎时更多。合作成功的关键就是两种鱼在团队中起到的互补作用。爪哇裸胸鳝能够在珊瑚礁狭窄的空间内一展拳脚，而蠕线鳃棘鲈在开阔水域中的身手更好。可怜的猎物最终无处可躲。

在蠕线鳃棘鲈和爪哇裸胸鳝的沟通中，最令人惊奇也是最不容易被注意到的一点，就是它们在猎物没有出现的时候就达成了共识。蠕线鳃棘鲈向爪哇裸胸鳝表达捕食意愿的时候并没有猎物在场，它们期待和规划的是未来的捕食行为。这其实是动物计划行为的一个例子。谈到合作这一问题时，灵长类生物学家弗兰斯·德·瓦尔认为，鱼类或许没有做不到的事，"涉及生存问题时，跟人类差异巨大的鱼也能找到聪明的解决办法。"

2013 年，另一组研究人员发现了红海中的鳃棘鲈合作捕猎的另一种方式，不过这一次的沟通信号，有点像人类在向同伴描述隐藏物品时，直接用手指的方式。蠕线鳃棘鲈和与之亲缘关系相近的豹纹鳃棘鲈会用倒立的姿势表示隐藏起来的猎物的位置，并能和多种动物，比如爪哇裸胸鳝、波纹唇鱼和蓝蛸合作完成捕猎。尽管方式大体相同，但倒立能够明确表明藏在鳃棘鲈够不到的地方的鱼或其他可食用动物的位置。这种身体语言带有指示性，除人类之外，已知的能够使用这种身体语言的动物只有猿和鸦——而这两类都是动物世界中的爱因斯坦。

西蒙娜·皮卡和托马斯·布格尼亚尔两位生物学家基于对鸦的沟通研究，提出了界定指示性身体语言的标准，而倒立信号完全符合以下 5 个标准：

1. 这种动作指向一个物体（躲在珊瑚礁缝隙中的猎物）；

2. 这种动作只有沟通效果，并不能直接行动（动作本身并不能抓到猎物）；

3. 这种动作指向潜在的信息接收方（比如爪哇裸胸鳝、波纹唇鱼和蓝蛸）；

4. 这种动作会引发自愿回应（比如爪哇裸胸鳝会过来寻找猎物）；

5. 这种动作能够表达意向。

这种标准非常简洁。能用手指是一种重要的沟通和社交技巧，也是儿童发育过程中的重要里程碑。当小孩会指东西的时候，就用到了分享式注意力——换句话说，他希望你能注意到他正在指的东西。

鳃棘鲈是非常有耐心的动物，它们能在同一个地方等候 10~25 分钟。有时，捕猎伙伴（比如一条爪哇裸胸鳝）离得太远，看不到鳃棘鲈的指向手势，鳃棘鲈就会游到它身边并做出抖动身体的动作。这种合作邀请一般都会奏效，它们会一起游到猎物藏身的缝隙处。

之后，研究人员对鳃棘鲈进行了人工喂养研究，其结果表明，鳃棘鲈的合作能力和黑猩猩相差无几。研究人员制作了两种仿真爪哇裸胸鳝，即在透明塑料片中嵌入实物比例的照片，用隐藏的线缆和滑轮操控。在那之后，他们让鳃棘鲈选择进行合作捕猎。一条假鳝鱼会配合地把猎物赶出来，另一条则会向相反方向游动。实验第一天，鳃棘鲈对两条假鱼没有任何偏好。但是第二天，它们就能分辨出合作的好搭档，并且表现出明显的偏好，其偏好程度跟黑猩猩的程度相当。鳃棘鲈在决定何时需要寻找合作者的效率也跟黑猩猩差不多，83% 的情况下它们都会选择合作。而鱼类在判断不需要合作者方面的效率则优于黑猩猩。

这是否表明鳃棘鲈比黑猩猩聪明呢？并不是。黑猩猩生活在陆地上，能够用手抓握，这是鱼做不到的，那么这两种动物有什么可比性呢？研究表明，当有需要的时候，鱼类能够做出聪明、灵活的行为。亚历山大·韦尔认为，珊瑚礁中石斑鱼（鳃棘鲈）和鳝鱼（裸胸鳝）的合作捕猎可以视为社会工具的使用行为："黑猩猩可以拿起树枝从洞里掏出蜂蜜。石斑鱼没有手也捡不起树枝，但是它能够利用交流控制另一种动物，从而满足自己的需求。"聪明的科普作家艾德·杨用文章标题总结了这种观点："如果猎物藏进洞里而你没有小棍，就用鳝鱼吧。"

民主

对我来说，鳃棘鲈的合作捕猎之所以精彩，是因为它们有意为之。在这个过程中，两条鱼沟通流畅，能够将欲望转化成对双方都有利的结果。

另一种通过意图达成社会结果的方式是集体决策。"我们在鱼群、鸟群和灵长类动物群等群体中发现的一项共同特征就是，动物们能够有效地投票决定去哪里和做什么。"普林斯顿大学的进化生物学家伊恩·库赞说，"当一条鱼决定去一个可能有食物的地方时，其他鱼就会用鱼鳍投票决定是否跟随。"这种高度民主化的决策过程能让群体动物做出更好的决策。

协商一致的好处是随着群体规模增加，其决策的速度和准确性也会提高，因为群体有效地结合了各个成员给出的不同信息。比如，情报有误的金体美鳊跟随群体一起行动时，犯错误的可能性就会降低。动物群体做出决策的方法，要么是汇总信息后少数服从多数，要么就是跟随几个见多识广的专家或领导。

鱼类个体的外貌也会影响最终决策。在其他条件相同的情况下，身体更健康、精力更充沛的鱼更懂得照顾自己，因此更有可能被"推举"为决策者。鱼类会有这样的歧视吗？为了弄清楚这个问题，来自瑞典、英国、美国和澳大利亚的生物学家共同设计了实验，他们把刺鱼放进树脂玻璃鱼缸中，鱼缸两头有两个一模一样的由好看的岩石和植被构成的藏身地。鱼缸后壁附近，一对塑料刺鱼模型由单丝线拖着匀速向两头的藏身地"游动"。其中一个模型看上去更健康一些——较大的模型看上去更健康，因为体形大意味着它寻找食物和长期生存的能力更强；腹部鼓胀的更丰满的模型看上去营养更好，而身体上有黑斑的模型则可能是因为长了寄生虫。

刺鱼的行为看上去就像预习过研究计划一样。只有一条鱼在鱼缸里的时候，它跟随看上去更健康的模型到达藏身地点的概率是60%。而随着群体数量增加，这一概率也会越来越高。当放进10条刺鱼时，它们跟随健康模型的概率超过80%。这能够很好地说明鱼类的集体决策。

为了研究鱼类的民主问题，科学家又开发出了更复杂的工具。机器鱼是会游泳的仿真鱼，米诺鱼等鱼类会自然地对它做出反应。

机器鱼能够帮助科学家深入理解集体行为的价值。比如落单的刺鱼容易跟随有不良的适应性行为（向捕食者运动）的机器鱼头领，而较大鱼群中少数服从多数的机制通常能够避免这种陷阱。如果有足够多的鱼反对，剩下的鱼也更有可能跟着反对者行动。与之类似，在Y形迷宫实验里，小群食蚊鱼会跟着机器鱼游到有捕食者的一边，而较大的鱼群则更有可能不顾机器鱼的带领，选择游到安全的一边。

关于仿真鱼、假鱼、模型鱼和复制鱼，有一点需要澄清。鱼类对它们有反应并不代表它们认为这些是真正的鱼。同样需要注意的是，这些鱼都是在人工创造的条件和陌生的环境中进行实验的。因此，研究人员把它们捕捉回来后，往往要花几周甚至几个月的时间，才能让它们平静下来，表现"正常"。感觉敏锐的鱼也许能看出人工模型有点不对劲，但是避免可怕刺激的心理可能会抵消它们的顾虑。

和平

遭遇捕食者并不是动物会面临的唯一危险。鱼类还需要解决同类之间的矛盾，但生物需要生存繁衍，并不希望直接面对受伤或死亡，因此敌对双方真正的身体对抗是比较罕见的。和其他动物一样，鱼类通常会用示威的手段，展示自己的力量和气概，从而避免可能会导致一方或双方受伤的更严重的肉搏。鱼类会用各种各样的策略给其他动物灌输战斗不是个好主意的观点。它们会张开鱼鳍、打开鳃盖或侧过身体展示体长，尽量让自己显得高大威猛。发出隆隆的声音能显得身强力气大，摆动尾巴形成强力的水流能让武力威胁更有效。其他展示方法还有摇头、扭动身体、露出身体上颜色鲜艳的部分或者改变体色等。

并不是所有的外观展示都是在表现攻击性。鱼类也会息事宁人。

露出身体脆弱的部分就是一种有效的息事宁人的方法，这种策略能够加强避免冲突意图的真实性，比如狼露出喉咙、猴子露出生殖器等。红身蓝首鱼（一种丽鱼）是一种攻击性很强的领地性动物，它们会抖动身体，展示出柔软的上腹部周围的明亮黄色条带，向对手求和。

如果冲突没有升级，丽鱼就会摆出一副和事佬的姿态。生活在马拉维的纵带黑丽鱼就是如此。在人工饲养的条件下，这种身体为乳黄色、两侧有黑白相间赛车条纹的鱼，会形成某种直线型的优势等级，个体之间的互动多发生在上下级之间。雄性会主动调解雌性之间的争端，中立地打断双方争执。其中相对陌生的一条雌鱼会受到偏袒，因此雄性的调解往往会提高新的雌鱼加入鱼群的可能性。对雄鱼来说这当然是再好不过的事，因为自己又多了一个潜在的配偶。

动物的等级往往取决于体形，体形越大，等级越高。就像加拿大马鹿的雄性头领妻妾成群，且会努力阻止其他雄性跟自己的后宫佳丽交配一样，在某些鱼类族群中，只有体形最大的雄性能够和雌性交配。如果低等级雄性的体形只比最大的雄性小 5% 以内，就必须冒险与之决斗。如果输掉，它的交配顺位又会往下掉几格。那么小鱼会怎么办呢？各种雄性虾虎鱼的克制让人钦佩，它们宁可减少自己的食物摄入量，也要保持交配顺位。

但节食的虾虎鱼也不是什么圣人，克制能够带来长期的好处。一群虾虎鱼差不多有十几条，当等级较高的虾虎鱼死去后，其他虾虎鱼的等级就会上升。有证据表明，节食能够延长很多种动物的寿命，因此它也许只是一种不错的夺取交配权的长期策略。

在群体中，就连最好斗的动物都会优先遵守克制和诚信的原则。佛罗里达州坦帕市的洛丽·库克出于同情救起了一些五彩搏鱼，并把它们装进单独的杯子，养在当地的沃尔玛超市里。她小心照料这些斗鱼，并把它们放进小小的池塘中。随着她"鱼类之友"的名声越来越响，她收集的斗鱼也越来越多，邻居家不想养的鱼都会送到她这儿来。她最终还从 PetSmart 宠物店里以每条一美元的价格买到了几条雌鱼。因为雌性斗鱼不好斗，来买宠物的顾客通常都对它们爱搭不理，认为它们无聊得很。

洛丽养的这些斗鱼为它们好斗的名声翻了案。每天早晨她都会去喂食，这些鱼就聚在池塘边等待食物。斗鱼生活在热带地区，因此即便是佛罗里达州南部的温度，对它们来说也有点低，在比较冷的几个月里，洛丽还会用到水族箱加热器。尽管养了很多五彩博鱼，且其中不乏雄性，洛丽还是发现："我从来没有见过两条斗鱼打斗，也没看到过任何打斗的迹象，比如咬痕或者残破的鱼鳍。"

为什么人们眼中的斗士会这样被动呢？或许和睦相处比剑拔弩张好处更多。雄性斗鱼互相撕咬的其中一个原因是人工喂养的条件所致。低等级的斗鱼想要逃跑避免冲突，但无路可走，于是高等级斗鱼就误以为对手改变了主意，打算战斗一番。我猜，这也是据说放在同一个鱼缸里的斗鱼会最终死掉的原因。

斗鱼的心理会让它们避免危险的打斗。鲁伊·奥利维拉和他在里斯本高等应用心理学研究所的同事发现，敌对的雄性斗鱼会观察其他雄性在打斗中的表现，并对赢家表现出更多顺从。观察过其他雄性打斗的雄鱼，并不会急于靠近并挑衅它见过的赢家，而对于它并不知道谁胜谁负的雄鱼，则不会有这种差别对待。

骗术

或许你会因为鱼类王国中存在克制、合作、维护和平的行为，就认定每条鱼都是"天使"，但不要这么快下结论。正如我们在清洁鱼和顾客共生关系中看到的那样，任何形式的合作和社会互动都可能存在捞取私利的空间。和人类一样，鱼也会利用眼花缭乱的外观和行为上的骗术去糊弄其他个体。它们离自私并不遥远。

有些骗术只是为了躲避捕食者的小伎俩。在最容易受到攻击的幼年时期，很多鱼都会利用拟态，模仿其他颜色鲜艳的有毒动物。弯鳍燕鱼幼鱼的体形和颜色都和一种有毒的扁虫非常相似，而珍珠白的体色配上黑色斑点则让驼背鲈幼鱼看起来像是另一种有毒的扁虫。

行为上的改变会增强骗术的效果。2011 年，德国哥廷根大学的哥德哈德·克普在印度尼西亚海边拍摄到了鱼类拟态的绝佳例子。一只本身就是模仿大师的拟态章鱼在沙子上缓缓爬行准备觅食时，发现一条黑白相间的红海叉棘䲁在触手上忽隐忽现。这条鱼身上的颜色和花纹跟这只头足类动物一模一样，还能将身体与章鱼触手平行排列，增强伪装效果。报道这种现象的科学家猜测，这种骗术能让成年后几乎都待在安全沙沟里的红海叉棘䲁，到达距离自己的家更远的地方觅食，而且能够保持相对安全。这是人类已知的唯一一个对另一种生物的拟态进行拟态的例子。

拟态和伪装并不只是用来躲避捕食者，捕食者也可以偷偷靠近猎物。在南美洲和非洲的淡水流域中，叶鲈演化出了模仿漂在水上和沉入水底的枯叶和腐叶的拟态。通过外观和行为上的双重骗术，这些有耐心的猎人能够抓到离自己很近的小鱼。叶鲈会有策略地选择埋伏地点，漂着或者悬浮着，完全融入周围的叶子当中。它们的胸鳍小而透明，能以极快的频率摆动，从而让自己待在一个地方保持静止。其下颌上粗糙的肉质突起看上去就像正在腐烂的叶柄，毫无警觉的虾虎鱼会被一口吞下。一旦小鱼进入捕食范围，叶鲈就会用有弹性的颌部制造真空将猎物吸进嘴里。只需要不到 0.25 秒，一切就结束了。

叶鲈的骗术还有一个极端的变体，生活在东非马拉维湖中的某些雨丽鱼会软绵绵地侧卧在湖底装死。好奇的食腐鱼类前来查探时，"尸体"会一下弹起来，吃掉这个好奇的调查员。

管口鱼和海龙悄悄接近猎物的方式更像是游戏，它们会骑在鹦嘴鱼背上玩捉迷藏。它们想抓的小鱼不会被植食性的鹦嘴鱼吓走，而且通常注意不到管口鱼和海龙的存在，因此当管口鱼和海龙从鹦嘴鱼背上滑下来时，能够攻击任何能够到的鱼。管口鱼还会藏在经过的小鱼群中悄悄靠近，以防被猎物发现。它们的狡猾本身就让人吃惊，但更让人感到惊奇的是，让这些骗子藏身其中的共犯居然能够容忍它们，而且并不害怕与捕食者并肩前行。

终年生活在暗无天日的海洋深处的鮟鱇根本无须东躲西藏，但是它们别具一格的骗术也非常有名。它们的背鳍是非常有效的鱼饵。你或许听说过鮟鱇的大名，它们形状怪异，嘴巴也合不拢，总让我想到中世纪教堂外立面上装饰用的滴水嘴。但你可能并不知道，只有雌性鮟鱇的背鳍变成了丝状杆，专家把这个结构叫作拟饵（illicium，其拉丁词源意为"引诱"或"误导"），其末端有叫作"钓饵"的发光器官。深海鮟鱇有 160 多种，其诱饵千变万化，绝对能超越任何渔夫的钓具箱。鮟鱇还能通过收缩丝状杆底部的肌肉让它产生类似蠕虫的蠕动效果。生活在浅水中的鮟鱇的诱饵颜色鲜艳，而生活在没有光线的深海里的鮟鱇，只能放弃鲜艳的颜色，转而让丝状杆特殊区域内的生物发光细菌发光。有些鮟鱇的诱饵尖端还有透镜，能把可调节的丝状杆变成精细的管状导光管，即纯天然的光纤。还有一种鮟鱇的诱饵能直接摆到嘴里，把毫无戒心钻到鱼嘴里探险的小鱼关在里面（大鱼也可以，因为鮟鱇能够吞下和自己体形相当的猎物）。

鮟鱇摆动背鳍上的诱饵时，能意识到自己正在策划一场骗局吗？这是关于动物精神世界问题的一项挑战。怀疑论者会指着利用拟态愚弄鸟类等其他捕食者的昆虫说，鱼类并不能意识到自己在做什么。我没有任何贬低昆虫的意思，但鮟鱇、叶鲈和管口鱼可不是无脊椎动物。它们是脊椎动物联盟中的正式成员，有与之对应的大脑、感觉、生化过程及意识。生活在墨水一样的深海中的鱼，需要有相当的智谋和诀窍，尤其它们的猎物也是有头脑的脊椎动物。

至此，我已经介绍了鱼类如何感知周围环境、它们的生理和情绪感受、它们的思维和社会生活。从这些方面，我们能够得知鱼类是有意识、有记忆的个体，能够制订计划，识别其他个体，有本能，也能够从经验中学习。某些鱼类还有文化。正如上面讨论的，鱼类会进行种内和种间的合作，并体现出了一些美德。

我们还有鱼类社会生活中的一个重要方面没有讨论，这也是所有生物的终极目标——繁衍。时机成熟时，繁殖的冲动会盖过觅食这个最基本的需求。正如它们的物种丰富性一样，鱼类也设计出了形形色色的繁殖及养育后代的方法。

第六章

鱼的繁衍

小猪："'爱'怎么写？"

维尼："爱不是用来写的，是用来感受的。"

——A.A. 米尔恩

鱼的性生活

> 鱼类的性生活有极强的可塑性和灵活性，其他任何脊椎动物都无法与之匹敌。
>
> ——他瓦玛尼·J.攀弟安《鱼类的性》

鱼类的外形多种多样，繁殖方式也有 32 种之多。它们的繁殖行为和策略种类，跟其他所有脊椎动物的加起来一样多。[1] 鱼类中有没有固定伴侣的，有一夫多妻的、一夫一妻的，还有一生只有一个伴侣的。根据不同的特性，雄鱼可能妻妾成群、需要保卫领地、集体产卵、偷偷交配、作为低等级雄性等待交配机会，或者做出违规的性行为。我们还会发现，雌鱼并不是被动的附属品。

大多数鱼类的性别模式都是人们熟悉的雌雄异体，这个有点奇怪的名字指的是生物体的一生，要么是雄性，要么是雌性。但是想必你也可以猜到这意味着什么：有大量鱼类并不是严格的雌性或雄性。出于某些原因，生活在珊瑚礁中的鱼的性别表现尤其多样。有四分之一的珊瑚礁鱼无须手术，就能从雄性变为雌性，或者从雌性变为雄性。其他雌雄同体的鱼，也能够同时或先后具有雄性和雌性特征。

能够同时产生精子和卵子的物种即为雌雄同体，它们大多生活在幽暗的深海。如果寻找到另一个同类的希望就像深海的光线一样渺茫，那么能够完成自我受精就是一种非常实用的技能。性反转的

---

(1)　原注：他瓦玛尼·攀弟安认为日本的研究人员最热衷于揭开鱼类性行为的秘密。有些科学家为了一项研究，会在水下待 500 多个小时收集数据。水下呼吸器技术的进步也极大地推动了人们对鱼类性生活的了解。

鱼并不是严格的雌性或雄性，它们在不同年龄和不同体形条件下具有不同的性别，这是有很多好处的。比如，在一个雄性会霸占多个雌性的交配体制中，刚开始是雌性，而等体形更大、更强壮，可以无视竞争者的挑战后变成雄性，是非常划算的。通常一个物种中的所有幼体都是雌性，有多个配偶的雄性处于支配地位。在其他情况下，支配者与被支配者也会换位，很多低等级的雄性会变成有交配优势的雌性。

《海底总动员》中有名的小丑鱼会依靠体形、社会等级和性别的改变保持社会秩序。它们是群居鱼，鱼群中有两条较大的鱼和很多体形较小的鱼，较大的两条鱼可以繁殖后代，而其中体形更大的是有繁殖力的雌鱼。其他所有的鱼都是雄性，根据体形大小排列等级。尽管这些低等级鱼的年龄可能和产卵的鱼差不多，但性成熟个体在行为上的支配力会让鱼群中的从属鱼难以发育成长。汉斯和西蒙娜·弗里克研究了这种严格的交配体制，认为这些低等级雄性实际上遭到了心理上的阉割。每条鱼都守着自己的位置，直到上面有等级更高的位置空出来。如果有繁殖力的雌鱼死了，最大的雄鱼就会变成雌鱼，第二大的雄鱼就会变成雄鱼里的头儿。所以小丑鱼家庭中被性压制的雄性个体永远有希望。（电影《海底总动员》中的故事有些不准确的地方。事实上，尼莫失去母亲后，它的父亲马林应该变成它的新妈妈才对。）

性反转的鱼会根据当前的性别做出与之对应的性行为。而那些一般情况下不会发生性反转，但是会受激素影响的鱼的性行为也有可塑性。尽管这种现象的发生机制还不明确，但人们在野外和实验室中的观察表明，某些硬骨鱼的大脑有双性别潜能，能够控制两种行为，而大部分脊椎动物受制于大脑的性别分化，只能做出一种性别的典型性行为。

鱼类改变性别的能力表明，自然界中的性别分工是不固定的。

如果你对社会动态稍有了解，就会发现人类的性别界限也变得越来越模糊了。比如《成为妮可》(*Becoming Nicole*)这本书就探讨了人类家庭面临的社会挑战，这个家庭里的双胞胎儿子之一，在很小的时候就希望改变自己的性别。随着医学的进步，我们能够真正选择自己的性别，不知不觉间，我们变得更像鱼了。

勾引的艺术

明确了自己的性别后，和谁交配仍然是一个问题。这是很重要的决定。性伴侣是你的后代另一半基因的提供者，你肯定希望这些基因的质量足够好。如果能够衡量潜在配偶的水准和意愿，就能省下不少事，于是就有了"求偶"这种行为的存在。我们约会、吃饭、跳舞、互送礼物，用各种各样的方法进行婚前试水。很多鱼也会用自己的方式勾引未来的伴侣，包括跳舞、唱情歌和抚摸等。

而且，至少有一种鱼会创造艺术。人们一般不会把鱼看成艺术家，至少不会因为很多鱼身体表面被动出现的漂亮花纹和颜色，就把它们看成艺术家。但经验丰富的日本潜水员、摄影师大方洋二在日本最南端潜水时，让他感到意外的东西恰好就是艺术。在那里，24米深的水下沙滩上有直径1.8米的对称环形图案。这幅壁画一样的图案中，两个涟漪一般的同心圆从中央的圆盘处向外辐射，仿佛一个身高150米的巨人走进海中，把拇指的指纹印在了沙子上。

因为困惑是谁创造了这精美的珍品，大方洋二几天后又带着一个拍摄小组回到了那里，秘密很快就揭开了。这些几何"麦田怪圈"是一种样貌平平的小型雄性四齿鲀弄出来的。这些12厘米长的鱼会把身体歪向一侧，用胸鳍摆动着游泳，花费数小时进行创作。它会一边游一边观察，然后用嘴咬开小贝壳的碎片，把它们撒在中间的沟槽里进行装饰。

之后人们又发现了其他雄鱼的杰作，而且每一幅都不一样。这些东西可能有几种功能。首先，如果一切顺利，它能够吸引雌性四齿鲀来到最里面的圈产卵。这些沟槽能够防止卵被洋流带走，而咬碎的贝壳大概也能强化这一作用，同时给卵提供伪装。创造出复杂圆圈图案的雄性更有可能交配成功，于是就演化出了这种复杂的技艺。

这种日本的小型四齿鲀可能是鱼类世界中的毕加索，但它并不是唯一一种通过沙子表现审美趣味的鱼。澳大利亚的园丁鸟因为能建造用来吸引、讨好雌性的精巧结构而出名，很多丽鱼也和园丁鸟一样，能够造出求偶亭，提高成功率。这倒不是说两者建成的求偶亭模样类似，而是跟长羽毛的远亲搭建的求偶亭一样，鱼类的求偶亭主要用来展示、求偶和产卵。只要一排完卵，雌性丽鱼就会把卵衔起来，挪到更安全的孵化地点。

鱼是如何建造求偶亭的呢？雄性丽鱼没有能够抓握的四肢，必须把沙粒叼起来然后扔下去，同时扇动鱼鳍控制沙子。每种丽鱼建造的求偶亭都有些不同，从简单的沙坑到有放射性辐条的圆形场地，再到高约 30 厘米、顶部有求偶平台的火山状沙堡。这些水中建筑的高度或深度，能够体现出雄性动物的健康状况和基因质量。驱动雄性做出这些行为的动力就是挑剔的雌性，后者能够区分出雄性能力的微妙差异。雌性会优先和建筑技巧高超的雄性交配，于是经过几代更替后，这种建筑技巧就会变得越发精湛。

雄性刺鱼也会用嘴搭建交配亭（其 U 形外貌跟有些园丁鸟的求偶亭非常相似），但是它们还会用其他工具辅助。它们的肾能产生一种黏稠的黏液状物质。建筑大体完成，需要添加装饰的时候，雄性刺鱼就会从泄殖腔里分泌出这种丝状胶水，把树叶、草和丝状藻类贴在自己的巢穴上。奥斯陆大学的莎拉·奥斯特伦－尼尔森和米卡埃尔·霍尔姆隆德研究了生活在瑞典西海岸的三刺鱼，发现雄鱼会选择颜色怪异的显眼藻类装饰巢穴入口。当研究人员在附近放上闪闪发光的锡箔和手镯碎片时，雄鱼会毫不犹豫地把这些东西拖出来，装饰自己的家。尽管这些巢穴在捕食者面前的伪装效果并不好，但它越俗丽，越能吸引异性。由此可以看出，人类和园丁鸟并不是仅有的喜欢亮晶晶东西的生物。

假高潮和吞精

工艺只是赢得配偶的其中一种方法，另一种则是令人耳熟能详的古老策略——欺骗。正如我们所知，鱼类也是诡计多端的。

雌性鳟鱼的骗术是假高潮。它会在沙子里挖个坑作为巢穴，然后在发情的雄鱼面前一边剧烈地抖动身体，一边排卵。附近的雄鱼受到引诱，会抓紧机会配合雌鱼的节奏，剧烈抖动身体，把精子排到水中。但有时候雄鱼会上当，因为雌鱼抖动身体的时候并不排卵。人们不清楚雌鱼为什么要这样做。一种可能是它在测试雄鱼的活力，或者它可能认为对方并不是自己心仪的对象，打算引来其他更好的雄鱼做自己孩子的父亲。这种繁殖冲突在自然界很常见。雄性精子数量众多，且生产成本低，即便给一条雌鱼的所有卵子都受精后，还能留下一些给其他雌鱼。对于雌鱼来说，自己宝贵的卵子由不同的雄鱼受精是更好的选择，这样可能会提高卵子被质量最佳的雄鱼受精的可能性。

雌性天竺鲷也有自己的骗术，或者说，有自己的伎俩。为了保护雌鱼的卵，雄鱼会小心翼翼地把它们衔在嘴里。对于父亲来说，这是伟大的自我牺牲，这意味着它在繁殖的重要时期是不能进食的。有时候雄鱼实在饿得受不了，会把整团卵一口吞下。为了降低这种结果出现的可能性，雌性天竺鲷会产下一部分没有卵黄的假卵，将其混在真正的卵中。这些假卵能让雄性天竺鲷以为自己的嘴里放了很多后代，需要更细心的保护。在我看来，这种解释缺少说服力，它假设雌鱼和雄鱼之间是利用关系，但从善意的角度出发也能解释这一行为。也许我们会发现，雌鱼排出这些"营养卵"是为了奖励雄鱼的辛勤付出，而雄鱼可以区分受精卵中的假卵，将其吃掉，留下真卵。毕竟，受精卵也是雄鱼的骨肉。

生活在马拉维湖的各种丽鱼中，雄性是用卵玩弄伴侣的那一个，它所用的招数就是卵的拟态。雌鱼会先把卵产在基底上，然后将其吞入口中。作为授精的辅助手段，雄鱼的臀鳍上有黄色的斑点，看起来就像是立体的卵。雌鱼难以拒绝这样的诱惑，它会游到雄鱼生殖器官附近，吸入它排出的大部分精子，这样受精的成功率就更高了。这是一种明显的视觉欺骗手段，但我并不认为雄鱼"卵状"的斑点是跟刺激一样的骗术。繁殖对雌鱼和雄鱼是同等重要的，因此，也许雌鱼看到雄鱼充满诱惑的视觉信号时并不会觉得上当受骗。

口交在很受欢迎的观赏鱼兵鲇的受精过程中会起到更直接的作用。雌鱼会直接把嘴贴到生殖孔附近吸入精液。精子很快就会通过雌性的消化通道，排在腹鳍中间一团 30 颗左右的卵上。

我觉得自己应该不是唯一一个好奇为什么精子不会被雌鱼体内的消化酶破坏的人。但精液流过雌鱼肠道的速度快得惊人。日本的研究团队测试了 22 条雌鱼体内精子穿过消化道所需的时间，他们在雌鱼吸入雄鱼精液的时候向雌鱼嘴中注射了一些蓝色染剂。之后他们就等着雌鱼肛门附近一团蓝色的东西出现。（当然，这种无礼的举动加剧了对它们隐私权的侵犯。）他们需要等待的时间很短，平均只要 4.2 秒！

这些兵鲇还有另一种方法，能够让精子快速通过雌鱼肠道且完好无损。它们利用体内的空气呼吸，在水面吞下空气，然后将其快速送过肠道。它们的消化系统，似乎早已具备了让精子快速通过身体而完好无损的条件。

为什么鱼类要用这么戏剧化的方法完成受精呢？一方面，利用这种办法，双亲都能确定孩子的基因来自谁，如果你是谨慎挑选配偶的类型，那么这一点非常重要。对雄鱼来说，它可以确定精子的去处，且能确定雌鱼只接受了自己的精子。不管最终的好处是什么，吞精对鲇鱼来说显然是个不错的办法，因为人们发现有多达20种鲇鱼都有类似的行为。

雌性的肠道可能并不是精子和卵子相遇的最奇怪的地方，还有一些鱼选择了无脊椎动物的内脏。海洋中最优雅的共生关系是鳑鲏——一种生活在欧洲溪流中的小型鱼类——和贻贝的奇特性行为。交配季节到来时，雌性鳑鲏会找一个大小合适的珠蚌属贻贝，并把卵产在里面。它要怎样才能把卵产到双壳紧闭的贻贝中呢？鳑鲏准妈妈会用长长的产卵管，把卵塞进双壳纲动物用来过滤水和食物的水管中。一旦卵子进入贻贝体内，雄性鳑鲏就会在排水管入口处排出精子，这样部分精子就会被贻贝吸入体内。接下来几天，鳑鲏的受精卵就会在安全的软体动物外套膜中孵化、发育。

这种安排对鳑鲏来说再好不过，但是作为鳑鲏繁殖容器的贻贝能从中得到什么好处呢？答案就是贻贝要等到自己的卵成熟时，才会把鳑鲏的幼鱼放出来，它的卵会暂时黏附在幼鱼身上，这样幼鱼就成了软体动物方便实用的卵子分散器。和一些植物的种子上长了小刺，可以附着在动物皮毛（及人类衣服）上搭免费便车一样，贻贝的卵也能用这种方式寻找富饶的新领地站稳脚跟。正所谓好人有好报。

女权主义鱼的手段

我曾见过雌性鳑鲏把卵子排到蛤蜊体内的图片，像极了加油站里的加油枪，我很好奇它能不能意识到自己的繁殖方法有多古怪。除非它观察过其他雌性产卵，不然一定是天生就知道该怎么做。雄性短鳍花鳉的交配行为看上去就不太像是生来就会的，因为它会随着社群条件的变化改变自己的行为，尤其是它会假装自己对其他雌性感兴趣，从而欺骗雄性对手。雄性短鳍花鳉有着名为生殖肢的射精器，这是一种内部有骨骼支撑的肉质附肢，功能和阴茎一样。雄鱼会咬雌鱼，同时用生殖肢顶它的身体，以此表达自己的交配意愿。在马丁·普拉思进行的研究中，他会在有观众和没有观众两种条件下让雄性短鳍花鳉接触雌鱼。首先，他把雄鱼单独放在有一对雌鱼的鱼缸中，让它们自由选择。接下来把雄鱼再次放到同样两条雌鱼面前，不过这一次，有一半雄鱼会被放置在鱼缸后方透明圆柱体中的雄鱼对手看着。

没有观众的对照组雄鱼没有改变对雌鱼的偏好。但是，几乎所有被对手盯着的雄鱼都开始对之前不喜欢的雌性表现出好感。它们的偏好会从体形较大的短鳍花鳉变成体形较小的，甚至会从同种雌性变成亲缘关系相近的雌性秀美花鳉。

雄性短鳍花鳉这么做的原因是要让对手的注意力从它更喜欢的雌性身上移开。之前有研究发现，雄性短鳍花鳉会受到对手偏好的影响，从喜欢短鳍花鳉变为喜欢秀美花鳉。这种手段是为了减小精子的竞争，因为附近的雄性可能会利用这种公共信息，模仿之前雄性假的配偶选择。把对手的注意力转移到另一个雌性身上后，雄鱼就能提高自己的精子给心仪对象授精的概率。

短鳍花鳉这种花招也有相反性别的版本。它们的近亲秀美花鳉全都是雌性的。爬行动物、两栖动物、鱼类和鸟类中都有少数几个全部是雌性个体的物种，这种生殖方式不需要精子给卵子受精，被称为孤雌生殖。秀美花鳉的情况更加特殊，因为它们只有在与其他种类的雄性花鳉交配后才能产生受精卵。尽管交配行为能够触发排卵，但其实雄性"浪费"了它们的精子，并没有给雌性秀美花鳉的卵受精。可以说，和秀美花鳉交配的雄性花鳉完全是完美骗局的受害者。

你可能会奇怪，为什么自然选择会包容精子最终走向绝路的雄性与雌性交配。如果这些雄性个体对雌性短鳍花鳉表现出兴趣，可能会更有好处。包括花鳉和它们的近亲孔雀鱼在内的一些鱼类都会有倾向意识，雌性短鳍花鳉通常会做出和秀美花鳉一样的配偶选择。

器大之鱼

花鳉虽然古怪，但它只是众多体内受精鱼中的一员。大多数鱼不需要雄鱼把生殖器伸到雌鱼体内就能交配，不过也有例外。所有雄性板鳃亚纲鱼类（鲨鱼和鳐鱼）都有鳍脚，这是性交时雄鱼插入雌性生殖孔内的一对器官。硬骨鱼中，孔雀鱼、花鳉、新月鱼和剑尾鱼都有生殖肢。

大多数时候，生殖肢都是朝向后方的，但是需要用它时，它就会甩到前面来。我想起大学时在动物行为学的实验室中，我们会记录下性兴奋的雄性孔雀鱼隔多长时间会发生一次"生殖肢摇摆"和"弯折"，摆出准备交配的 S 形姿势。体色耀眼的雄性四处摆动着难以驾驭的"魔杖"，明显是为了讨好雌性。尽管孔雀鱼体形很小，只有 2.5 ~ 5 厘米长，但它们的生殖肢有体长的五分之一，因此学生能够轻松观察并记录。

学名为"Phallostethidae"（意为"胸上的阴茎"）的精器鱼，也会进行插入式性交。这些鱼身体较小（最长 3.5 厘米），其貌不扬，共包括 23 个物种。它们的身体呈半透明状，生活在泰国和菲律宾的半咸水域当中。它们得名于生长在雄鱼喉部下方肌肉发达的骨质交配器官精器。没错，有些物种的精器旁边还长了功能健全的睾丸。精器的另一个特征是有锯齿状的栉状突，能够在交配过程中固定在雌性体内。经过仔细解剖研究，人们确认这种极为复杂的结构是从消失的腰带和腹鳍演变而来的。

性的重要性显而易见，鱼在演化过程中宁可放弃一对实用的鱼鳍，也要换取交配的便利。这也证明了生命的神秘，毕竟这些鱼的祖先似乎没有精器也可以生存得很好。没有人知道为什么这些阴茎会慢慢移到鱼的头部一端。或许，阴茎长在眼部附近能让雄性精器鱼插入的准确性更高？

雌鱼如何看待雄鱼的生殖器呢？或者更直接一点，在鱼类世界中，尺寸是否重要呢？食蚊鱼的生殖肢能达到雄鱼体长的70%，这样看尺寸的确重要。圣路易斯华盛顿大学的生物学家布莱恩·朗格汉斯验证了尺寸重要的理论，他把雌鱼放进鱼缸中，身体两侧分别打出雄鱼的投影。其中一条雄鱼的生殖肢经过电脑调整，显得比另一条鱼的更长。每次实验中，雌鱼都会游向生殖肢更长的鱼。但是讲求效率的大自然会限制生物的浪费行为，生殖器太长对雄性食蚊鱼来说会是一种负担。如果孔雀尾巴比对手长60厘米，那么它在有机会交配前，更有可能被捕食者吃掉，因为生殖器大的食蚊鱼在敌人面前更脆弱。大生殖肢会在水中形成较大阻力，雄鱼更容易被抓住。因此生活在捕食者较多的湖中的雄性，比生活在安全水域中的雄性的生殖肢要小。

以上我们重点探讨了插入式性交的鱼类，我并不是看不上那些不计其数的将卵子和精子直接释放到水中进行体外受精的鱼。这种繁衍方式在鱼类当中非常常见。我来简单举个例子：海七鳃鳗有着非常复杂的筑巢和交配行为，跟人们对这种古老的无颌鱼类形成的"原始"的刻板印象相去甚远。和鲑鱼一样，它们也是一种洄游性鱼类，生活史可以分成海水和淡水两个阶段。到了产卵时，它们会逆流而上，搭起一个直径为 60 ~ 90 厘米的卵圆形巢穴。一对配偶会用吸盘状的口拾起石块或把石块拖到巢穴上游，堆成一堆。交配时，雌性会用嘴紧紧叼住石块，雄性则紧紧抓住雌性头部后方，然后把身体缠绕在雌鱼身上，接着两条鱼就会剧烈颤动。这种动作会把细沙搅起来，附着在排出的卵上，帮助卵落到巢穴中。接下来，这对海七鳃鳗就会分开，然后把上游的石堆挪到下游去。这样做有两个目的：一是让沙子留下来盖住受精卵，二是堵住巢穴的缝隙让卵待在里面。海七鳃鳗会反复这一过程，直到雌性所有的卵都排出体外。这种交配过程有着罗密欧和朱丽叶式的结局——最终，它们会力竭而亡。

和大多数情况一样，我们对鱼类性行为的了解只是冰山一角。人们研究过的物种中，很多都生活在人造环境中，这种环境有很多便利条件，但也可能会抑制野外性行为。比如，人工喂养的黄刺尻鱼就不会进行通常跟维持一夫多妻行为相伴而生的求偶行为。我们会好奇，那些惊人的现象是终将被发现，还是会永远埋藏在深海中。

可以确信的一点是，对很多鱼来说，繁殖的终点并不是性交。鱼类也会哺育后代，而且它们也有一些非常有创意的办法。

育儿方式

在这个世界上，只要能为他人减轻负担就不是无所作为。

——查尔斯·狄更斯

在我八岁那年，老师给我们放了一部电影，讲述鲑鱼长途跋涉，从海洋回到出生的溪流产卵而后死去的故事。老师让我们写电影观后感，而我母亲把我当年的作业保留至今。我在其中写道：

> 鲑鱼必须产下许多卵。因为它们天敌众多，不然所有卵都会被吃光的。几周后，只有 15 个卵依然健在。一周之后，鱼苗长大了一些，可以认出它们是鲑鱼了。忽然，一个庞然大物向它们游过来，所有小鱼都奋力游开想要逃生，但大部分还是被一条大狗鱼吃掉了。

我努力回想，那部影片给我灌输了一种印象，即鲑鱼的生活就是彻底的、不断的挣扎，尽管我明智地总结出"交配在你看来可能是一场斗争，但鲑鱼其实非常享受这个过程"。小男孩在尝试表述事实时有些可笑，不过那部电影传递了一个关于鱼类生活的错误观念。虽然老师告诉我们，鲑鱼完成了自己的使命，在故乡的溪流中产卵而后死去，但事实上，有些雄鱼和很多雌鱼都会转身游回海中，恢复正常的身体状态，继续生活，可能几年之后才会再次在繁殖冲动的影响下回到溪流中。

那部影片还让我认为鱼类是不会照顾自己的孩子的。事实上，鱼类的育儿行为至少独立演化了 22 次。大约四分之一的鱼类物种，也就是约 8000 种鱼，都会做出某种形式的看护后代的行为。看护行为多种多样，从保护受精卵到幼鱼出生后最脆弱的前几周寸步不离。包括鲨鱼在内的很多鱼都是胎生的，也就是说会直接产下活的幼仔。有些鲨鱼还有胎盘，能够通过脐带给发育中的胚胎输送养分，直到它们出生。

尽管有的鱼类有哺乳动物的繁殖特征，但它们不会像哺乳动物一样用乳汁喂养幼崽。不过，有些种类会产生一些能够喂养后代的物质。最有名的就是盘丽鱼，这是一种原产于南美、经常能在水族馆中见到的丽鱼。盘丽鱼会对发育中的幼鱼悉心照料，几周后，盘丽鱼父母会让孩子吃那些覆盖在自己身体表面、起着保护作用的黏液。它们吃的并不是以前的黏液，而是父母体侧加厚的特化鳞片分泌出来的。这是一种能够加强幼鱼免疫力的私人营养餐。黏液中含有丰富的抗菌物质，能够防止幼鱼感染。科学家发现，免疫增强物质在鱼类中十分常见。人们从鱼的黏液中分离出了一类新的肽类抗生素，名为毒鱼豆素（piscidin，意指"跟鱼有关的化合物"）。

鱼类世界中的乳汁替代品不只有美味的黏液。还记得雌性天竺鲷专门为用嘴孵卵的雄性产下的未受精的假卵吗？很多鲨鱼都会产下假卵，作为出生前正在发育的胚胎的额外食物来源。马拉维湖中的一种鲇鱼也会产下假卵，喂养在水里游来游去的鱼苗。幼鱼会游到母亲的泄殖孔附近，雌鱼把假卵排出来时，幼鱼就会把卵吃掉——可以说是随时可享用的鱼子酱了。

保卫受精卵

小鱼出生前，准爸爸、准妈妈负责保卫受精卵。一种方法是赶走人侵者，从而确保卵的安全。生性好斗的雀鲷是保护欲非常强的父母。我在佛罗里达州基拉戈岛附近的一处小型珊瑚礁潜游的一个小时中，只看到了几次鱼类之间的攻击性互动，几乎所有的入侵者都会被副金翅雀鲷驱赶。全球知名的鱼类学家蒂尔尼·蒂斯描述了自己见到的雀鲷保护受精卵的场景。她靠近受精卵仔细观察的时候，这种体长12厘米左右的小鱼会反复用声音发出警告。雀鲷发现自己并不能成功赶走面前巨大的潜水者，于是直接冲了上来，"用它的小牙齿咬住我的一大缕头发，然后使劲向后拽，力气特别大，我疼得不由自主地叫了一声"。

除此之外，鱼类父母还会建造各种各样的巢或避难所，把卵藏在里面，其中就包括用植物材料和大量特殊唾液吹成的泡泡建造而成的精巧腔洞。紫黑眶锯雀鲷筑巢的方式可谓一流。一对紫黑眶锯雀鲷会用喷沙的方法清洁产卵地点。它们嘴含一口沙子，将其用力喷到选定的岩面上，然后用鱼鳍扇一扇，再用嘴把卡在岩面中的沙粒拔出来。

提高卵生存率的另一种更实际的方法是将它们随身携带。有些鱼会把卵含在嘴里，有些则是放在育儿袋中——雄性海马正是以此闻名。生活在热带印度洋海域中的剃刀鱼，是令人称奇的伪装大师。雌性剃刀鱼的腹鳍长在一起，形成一个像摇篮一样的育儿袋；而海马的近亲海龙，则是和海马一样，雄性长育儿袋。生活在新几内亚的雄性钩鱼会把配偶产的卵挂在前额的突起上，像一串葡萄一样。几内亚的底栖鲇鱼则会把卵团成一团，附着在皮肤上，由一层增生的皮肤包着，直到胚胎发育成熟，从这一不寻常的子宫中游出来。

一种名为饰纹布琼丽鱼的南美洲丽鱼会精心挑选一片松动的叶子在上面产卵。准备交配的雄鱼和雌鱼通常会在产卵前对叶片进行测试：它们会拉拽、抬起并翻动候选叶片，尽量挑出容易移动的。产卵后，雄鱼和雌鱼会一起守卫它们的受精卵。受到打扰时，饰纹布琼丽鱼就会咬住叶片一端，急忙把它拖到更深、更安全的地点。

阿氏丝鳍脂鲤也是保护卵的高手，它们的名字也得益于这种古怪的方式（其英文俗名直译为"溅水脂鲤"）。跟把卵产在水下叶片上的饰纹布琼丽鱼不同，这些身手矫健的鱼会把卵产在垂在半空中的叶片上。准鱼爸和准鱼妈会贴着水面垂直排成一列，然后在精妙的一瞬相互示意后，同步跃向事先选好的叶片。每次跳跃的最后，两条鱼都会肚皮翻到天上，把精子和十几个卵一起排出体外。它们是把握时机的高手。通过这种方式，一对阿氏丝鳍脂鲤能够将几十个透明且经过精巧伪装的卵附着在目标叶片上成团。我在资料中看到它们能跳 10 厘米高，但是拍到这种行为的影片显示，阿氏丝鳍脂鲤能跳得更高。它们还会在叶子上停留数秒，赢得更多的产卵时间。

还好卵的孵化时间很短，不然负责给卵保湿的准爸爸会累死。它会熟练地摆动尾巴，将水甩到卵团上。这是一项艰辛的工作，因为在 2 ~ 3 天的孵化期内，它必须每隔一分钟就溅一次水花，直到鱼苗从卵中孵化出来掉进水里。

每逢遇到这种神奇的动物行为时，我总会忍不住猜测它们是如何形成的。鱼类在水中产卵并照顾受精卵的行为，是如何变成把卵寄存在树叶上、溅水花为其保湿这种古怪行为的呢？当然，答案一定是逐渐的、阶段性的演变。有些原始脂鲤生活的环境中可能存在某种看得见的捕食者，脂鲤把卵产在水下植物的叶片上时，捕食者就吃不到这些卵了。后来，来自其他捕食者的压力迫使某对有魄力的脂鲤摆动腰部跳起来，把已经变得黏糊糊的卵子寄存在低垂着的叶片上。再到后来，也许是在决心更大的水生捕食者的压力下，脂鲤也越跳越高，最终掌握了跳跃技巧。演化的每一步都必然伴随着某些益处，否则这种行为在群体遗传上就不可能具有优势。

阿氏丝鳍脂鲤并不是唯一把卵产在水外的鱼。很多栖息在最高潮位和最低潮位间的潮间带鱼，都能在空气中孵化鱼卵。退潮时，线鳚、锦鳚和狼鳗会用它们长长的身体把卵团包裹起来，并在卵团周围存下来小小的一汪水。为了保护自己未来的后代，鱼会在空气中躺上好几个小时，不得不说父爱、母爱是极其伟大的。

保护不在水中的卵的策略，还包括用海草盖住、埋进沙子里以及藏在岩石中间。这些方法都能让孵化温度更高、氧含量更高、捕食者的威胁更小。

吞而不咽

为了让后代安然度过最幼小、最脆弱的时期，鱼类设计出的最具独创性的办法就是把它们直接含在嘴里。这种用嘴携带卵或能自由游动的小鱼的方法被称为口孵（mouthbrooding），地球上四个大陆中至少有9科鱼具有这种行为。有些鱼类家庭遇到危险时，大鱼就会把头压低缓缓后退，发出危险信号。小鱼会向大鱼靠近，被大鱼吸进嘴中，直到危险过去后，大鱼才会让它们出来。大鱼把小鱼吸进嘴里的时候，就好像在倒放呕吐的影像片段。

丽鱼是口孵育儿法的专家，已知的2000种丽鱼中，有70%的物种都会用嘴巴照顾后代。丽鱼丰富的物种多样性以及庞大的数量可能部分要归功于这种适应性行为。大概由于鱼的嘴里只能容纳一定数量的后代，丽鱼的产卵量比其他鱼类小很多。但后代在幼年期更高的成活率，则很好地弥补了产卵少的劣势。

有口孵行为的鱼类中名气最大的是搏鱼属，包括70多个物种。有些搏鱼会用气泡巢保护幼鱼，可能就是这种行为渐渐演化成了口孵。用气泡巢保护幼鱼的搏鱼生活在死水里，在这种环境中，气泡巢的效果非常好。它能让卵和发育中的幼鱼围在一起，在安全、湿润且靠近氧气量充足的地方成长。但在诸如溪流这样的流动水域中，气泡巢则很难保持形状。鱼类父母在建造气泡巢时会把卵含在嘴里，这种行为其实已经接近于口孵。你可以想象，很久以前有这样一条鱼，游到了一条溪流中，进入新的生活环境。它看着自己的气泡随着水流漂向远方，绝望中，它意识到如果把卵放在自己嘴里可能会更好。

口孵还有其他好处。用气泡巢保护后代的鱼会高度依赖巢穴，一旦离家太远，就面临失去卵或鱼苗的危险。而口孵的鱼能够随意活动，同时保护自己和后代的安全。不仅如此，它们每次呼吸时都会有水流过卵的四周，因而能保证充足的氧气。

口孵不仅表现了鱼类聪明的一面，还能表现出它们道德高尚的一面。一般情况下，处于口孵期的鱼类父母会停止进食。这并不是一件小事，因为口孵期可能会持续一周甚至更久。如此一来，进行口孵的鱼会出现饿死的现象，也就不足为奇了。

这种行为的高贵之处不止于此。大鱼仍然会把食物含在嘴里，但不会咽下去——至少不是大鱼咽下去的。这些小块的食物是用来喂养躲藏在慈爱大鱼嘴中的小鱼的。一项针对坦葛尼喀湖野生红身蓝首鱼的研究表明，雌鱼会游到湖中安静的区域，用口孵的方式照顾后代长达 33 天左右。这段时间里，任何食物都不会进到它们的肠胃里，但随着后代不断生长发育，它们也会加快自己的进食速度。必须承认，这种自制力在动物王国中名列前茅。

好爸爸

猜猜这些鱼中是谁承担了大部分照顾后代的工作？答案是爸爸。陆生动物往往是母亲承担养育后代的重任，鱼则完全相反。雌性不可避免地要完成产卵的工作，但在这之后，雄性就会接手。因此，搏鱼中负责建造气泡巢并保护鱼卵直至幼鱼孵化出来的是雄性搏鱼。感到周围有危险时，搏鱼父亲会在水面附近摇动胸鳍，感知到水波的幼鱼，就会游到父亲的嘴里躲一躲。

雄性在口孵中的作用非常重要，有些物种的雄性，甚至演化出了更适应这项工作的面部特征。科学家认真研究了 9 种天竺鲷的头部，发现雄性的吻部和颌部比雌性的更长。研究人员推测，用口腔抚养后代的功能限制了鱼类嘴部的其他重要功能，比如呼吸。由于大量后代（所有个体都要吸收水中的氧气）占据了口腔中珍贵的空间，雄鱼的摄氧量受到了影响。因此科学家推测天竺鲷可能得面对不太光明的未来。澳大利亚昆士兰詹姆斯库克大学海洋和热带生物学院的戴维·贝尔伍德说："口孵行为容易让它们受到气候变化效应的影响。随着海洋温度的升高，这些鱼必须呼吸更多，而它们需要氧气时，一定不希望嘴里塞满了后代。"

鱼类中好爸爸冠军的名号属于海马和它们的近亲海龙。这些雄性鱼类所做的工作跟怀孕非常相似。雌性会把卵产在雄性腹部的育儿袋中，雄性给这些卵受精，并携带它们直至孵化。"生育"过程中，雄性需要收缩、扭曲育儿袋，从而让幼鱼从育儿袋中出来。

父亲怀孕有明显的好处。单纯从繁殖的角度来说，雄性能够确定后代属于自己，而且与抛弃后代让它们独自面对海洋生活的种种危机相比，这种方式的存活率更高。亲子关系的确定性非常重要。因怀孕和（偶尔）养育后代消耗了大量能量的雌性，自然能够确认自己的血脉，但雄性则很少能确认这一点。讽刺的是，这种以雄性为中心的监护体系，让亲代关系的不明确性从雄性转向了雌性。遗传分析显示，雄性海马中实行每周一夫一妻制的比例只有 10%，有些雄性的育儿袋中有多达 6 个不同雌性的卵。不过，有证据表明，雌性海马也会向不同雄性的育儿袋中产卵，玩弄手段。

合作繁殖

亲子关系的不确定性只是发挥繁殖潜力的诸多障碍之一。安顿下来建立家庭所需的资源短缺是另一个难题。如果筑巢地点、食物来源和配偶都不合适，就有可能出现妥协行为。

读研究生的时候，我每周都会跟一群行为生态学家开会讨论鸟类合作繁殖行为的最新研究进展。这种现象多种多样，有专门的课程和书籍加以讨论。合作繁殖指的是一个或多个非繁殖成年个体放弃繁殖机会，协助另外一对成年鸟类养育后代的现象。繁殖的一对鸟类通常是助手的亲代，不过也有例外。具有合作繁殖现象的已知鸟类有几百种，包括画眉、鸦、翠鸟、犀鸟等。

1989 年时我上了那门课程。有趣的是，没有任何人提及鱼类中的合作繁殖现象——尽管几年前，人们就已经在美新亮丽鲷身上发现了这种行为。目前人类已知具有合作繁殖行为的鱼类数量（只有十几种）比鸟类（约 300 种）和哺乳动物（120 种）少很多，但是鱼类的生活里有太多人类未知的秘密，这意味着或许很多鱼都有类似的行为，只是我们还未发现而已。

最著名的合作繁殖的鱼类是那些具有创新精神的丽鱼。助手丽鱼会完成多种照顾鱼卵及幼鱼的工作，比如清洁、搅动水流、清理繁殖区域的沙子和腹足动物，以及守卫繁殖领地等。

鸟类和哺乳动物的互助行为是通过亲缘选择演化而成的。如果自己建立家庭的希望渺茫，比如缺少合适的筑巢地点，那么帮助有血缘关系的个体，比浪费自己的时间最终一事无成更有意义。帮助他人能够提高帮助者的遗传适合度，因为与帮助者有相同基因的亲属能够获益。帮助行为也是一种有价值的训练。如果首先完成了整套的学徒训练，未来的繁殖者更容易成功掌握筑巢、孵化、哺育后代和保卫巢穴等技艺。

也就是说，在条件允许的情况下，这些帮助者仍然能繁殖自己的后代。一项针对塞岛苇莺的研究就证实了这一观点，这些鸟类来到新的岛屿后，只有所有的高质量筑巢地点都被占用后，鸟群中才会出现帮助行为。一旦土地瓜分完毕，让步随之而来。

鱼类中的帮助者是否也是因为没有其他更好的选择呢？伯尔尼大学的瑞士研究者决定验证这种所谓的生态限制假说，他们从坦葛尼喀湖南端捕获了美新亮丽鲷，完成精心设计的人工养殖实验。美新亮丽鲷是研究鱼类合作繁殖行为的最佳对象。它是一种优雅的小鱼（最大不超过 8 厘米），长着大眼睛，身体呈粉黄色，纤长的鱼鳍边缘是天蓝色。它们的社会生活同样多姿多彩。它们能够把交配场地中的沙子挖起来运走，能用打斗、啃咬、撞击、展开鱼鳍或鳃盖、低头、身体弯成 S 形等多种方法守卫巢穴，还能用抖动尾巴、勾引和逃跑等多种顺从行为抚慰高等级鱼。

研究人员把 32 对美新亮丽鲷安排在 7200 升的环形水缸中的32 个繁殖隔间内，每 4 个繁殖隔间中夹着一个"疏散隔间"。除了充足的沙子外，每个繁殖隔间和一半疏散隔间中还有两个被分成两半的花盆，可以作为繁殖场地。每对繁殖鱼（共 64 条）还分配了一对助手，一条大一条小，两个助手体形都比繁殖鱼小，也是一共 64条。研究人员训练助手鱼，让它们学会从繁殖隔间和疏散隔间中树脂玻璃板上的小狭缝中穿过。繁殖鱼由于体形太大，无法通过这些狭缝。

尽管刚转移完地点后有些迷惑，这些鱼很快就适应了新的生活环境。一对繁殖鱼在抵达后 5 天之内就产下了卵，而这 32 对繁殖鱼中，除了一对外，剩下的鱼都在 4 个半月的实验中至少产下了一窝卵。

在具备繁殖条件的情况下，帮助者是提供帮助还是自己建立家庭呢？当然，它们选择了后者。正如生态限制假说预测的那样，帮助者游到空余的疏散隔间中就有了繁殖所，它们会跟另一个帮助者配对，繁殖自己的后代。体形较大的帮助者很少会帮助之前分配的繁殖鱼，而跟没有自己繁殖场地的大帮助者相比，有繁殖场地的那些会长得更大，这表明它们能够根据繁殖状态控制自己的体形。

进行繁殖的帮助者，并不会选择跟自己分配到同一个隔间的帮助者，这可能是因为后者体形较小，与相邻繁殖隔间的大帮助者相比，并不是理想的交配对象。没有繁殖场地的疏散隔间中，没有出现任何繁殖行为，这证明了适宜的繁殖条件的重要性。

这个实验设计精巧，能够证明美新亮丽鲷和很多鸟类一样，会因为环境中资源有限而妥协产生帮助行为。这让我联想到人们在成为正式员工或自己创办公司前，都会在机构中当志愿者或在企业中实习一样。

帮助他人养育后代的行为是高尚的，不过美新亮丽鲷中有一些帮助者的高尚程度可能会稍微逊色一些，它们从帮助中获得的，不仅仅是经验以及间接遗传自己的基因。对赞比亚卡萨卡拉威的野生美新亮丽鲷进行遗传分析后，研究人员发现，虽然雌性繁殖鱼是几乎所有后代的生母，但其中只有 90% 是雄性繁殖鱼的血脉。雄性帮助者会给超过四分之一的卵团受精。从坦噶尼喀湖的美新亮丽鲷的遗传数据来看，5 个鱼群中，有 4 个都存在混合血统的现象。

对占有优势地位的繁殖雄性来说，这并不是彻底的坏消息，因为它们通常并不知道帮助者的不检点。有越界行为的雄性帮助者明白这些卵中有一些是自己的血脉，因此在抵抗捕食者时，会比没有参与繁殖的乖巧的帮助者更加勇猛，也倾向于守在离繁殖场地更近的地方。帮助者暂时不能提供帮助时，其他鱼群成员会表现出更多守卫领地的行为。回到巢穴后，之前无法提供帮助的帮助者会帮更多的忙——尽管科学家并没有发现繁殖鱼会对它们的偷懒行为进行惩罚。

这些行为对人类来说也并不陌生。尽管有一夫一妻和性忠诚等准则，不合规范的行为依然存在，否则我们就不会有"出轨""绿帽子""亲子鉴定"这些词了，也就不会有寄养和收养。

不速之客

帮助繁殖这种高尚的行为无疑为鱼类世界中的偷鸡摸狗行为奠定了基础。这就是生物学家所说的巢寄生。

正如合作繁殖一样，鸟类的巢寄生现象也很出名。这种现象是指个体把自己的卵产在其他个体的巢穴中。某些鱼类、两栖动物和昆虫都有巢寄生行为，这是一种演化上的揩油策略，即让其他人去保护、养育自己的后代。很多巢寄生的鸟在巢穴中产下自己的卵后，会把寄主的卵移走。被寄生鸟类的雏鸟比寄生鸟类的雏鸟小很多时，寄生鸟的后代就能获得大部分食物，而寄主自己的雏鸟就可能被饿死。在最可怕的例子中，有些巢寄生鸟类，尤其是杜鹃，会把卵或者刚孵化的雏鸟除掉，要么直接把它们从巢里挤出去，要么就用几天后就会脱落的喙上的尖钩杀死它们。其他巢寄生鸟类，比如巨牛鹂，不会伤害寄生巢穴中的拟椋鸟或酋长鹂的雏鸟，而且还有证据表明这是一种互利行为，因为寄生的雏鸟会把室友身上的狂蝇幼虫除掉。

鱼类中最有名的巢寄生现象发生在非洲的大湖中，那里有最精妙的鱼类社会行为。宾州州立大学的研究团队在马拉维湖中发现了14个南鲶巢穴，其中11个都有巢寄生现象，寄生鱼类是湖中一种常见的鲇鱼，被当地人称为邦贝鱼。被寄生的南鲶巢穴中几乎全是邦贝鱼的后代，成年南鲶会保护它们直到10厘米长。雄性南鲶和雌性南鲶都会喂养后代。雌性南鲶会产下营养丰富的卵，而小鱼会聚集在它的泄殖孔周围。雄性南鲶则会从附近的栖息地中捕获无脊椎动物，把它们带回巢穴，然后用鳃盖把食物分给饥肠辘辘的后代。

在寄生的巢穴中，邦贝鱼和南鲶的幼鱼一起进食。直到现在，也没有人知道邦贝鱼的后代是否天生就知道养父母的喂食方法。

邦贝鱼对南鲶的寄生比一般的巢寄生更加独特。杰伊·斯托弗在2007年初发现巢寄生现象前，已经在马拉维湖潜水超过1600小时，但从来没有见过这种行为。而且看上去邦贝鱼也不是习惯占南鲶便宜的样子，它们也会照顾自己的幼鱼并且积极保卫巢穴。斯托弗在给邦贝鱼筑巢区域摄像时因为靠得太近，手还被咬了。

至少邦贝鱼和南鲶之间的寄生关系还算友善。西北方向800千米外的坦葛尼喀湖中，密点歧须鮠（一种鲇鱼）会在繁殖中的丽鱼上方产卵，丽鱼则会尽职尽责地口孵密点歧须鮠的卵和幼鱼。这样一来，后者被俗称为杜鹃鲇也就不足为奇了。杜鹃鲇可谓厚颜无耻且欺人太甚，它们的卵比寄主的卵孵化早，一旦卵黄的营养耗尽，小鲇鱼就会开始吃丽鱼的后代。东京大学的动物学家佐藤哲也在1986年发表了关于这一现象的论文，这是人们知道的第一种真正的鱼类巢寄生现象，即寄生物种的后代完全依赖寄主父母生活。

如果我们用一句话来总结目前人类对鱼类的科学认识，那就是鱼不仅仅是活的，它们也有生活。它们不是冷冰冰的东西，而是活生生的动物。一条鱼就是一个有个性、有社会关系的个体。它们能规划、能学习、能感知、能创新、能安慰和欺骗其他个体，能感受到愉悦、恐惧、开心和痛苦，甚至能感受到欢乐。鱼有感觉也有认知。这些知识与人类和鱼类的关系是否相符呢？

第七章

离水之鱼

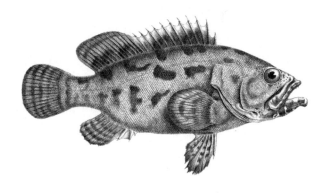

我的双手是它的白日梦魇，
让它看到了死亡。
——D.H. 劳伦斯《鱼》

当一条鱼并不容易，尤其是在人类统治的时代。在难以追溯的远古时期，人类就已经开始捕鱼了，那时人类还没有圈养牲畜，但学会了使用鱼钩和渔网。人类发现的最古老的鱼钩可追溯到16000～23000年前。已知最早的渔网是1913年由一位芬兰农民在沼泽的水沟里挖东西时发现的，这种渔网用柳树纤维制成，长近30米，宽1.5米，碳素测定分析显示，这张渔网是在公元前8300年制造的。

早期的渔民用鱼钩或渔网在浅水水域捕鱼时，丝毫不会担心自己会捕完海里所有的鱼，在他们看来，海洋会向地平线的另一边无限延伸。而且，他们也根本不需要担心。以捕鱼为生的原住民社群自有历史存在起就和野生鱼类和谐相处。想要长期生存，就必须让自己的需求和鱼类的需求保持一种可持续的平衡状态。这在现代社会里并不容易，因为人类捕鱼并不仅仅是为了生存，也是为了赚取利润。

进入20世纪后，人们普遍认识到地球的各片水域并没有无尽的鱼类供给。几年前，我从小巷的垃圾堆里捡回来一本古老的书。这本《地球上的动物》（*Animal Life of the World*）出版于我母亲出生的1934年，作者H.J.谢普斯通在里面写道："尽管人类每年从海洋中捕捞几百万吨鱼类，这座宝库依然没有任何被掏空的迹象。"

人们以前也是这样说旅鸽的，但我们都知道旅鸽的下场如何。[1]

谢普斯通没有提及当时已经有大量证据表明的两个趋势。一个

---

[1] 旅鸽是近代灭绝鸟类中最著名的代表。1914年9月，最后一只人工饲养的旅鸽去世，旅鸽从此销声匿迹。

是人口数量的稳步增长。如果其他因素保持不变，人口数量增长意味着消费鱼类数量的增加。即使人均鱼类消费量维持不变，从谢普斯通的文章发表到今天，由于人口增长已经导致鱼类消费量增长了两倍。

今天，鱼类的消费量在世界上人口最多的两个国家中有剧烈的增长。中国居民人均鱼类消费量比1961年时增长了5倍，印度则增长超过2倍。50年中，这两个国家的人口几乎翻倍。联合国粮农组织的数据显示，2009年，全球人均鱼类年消费量为18.4千克，几乎是20世纪60年代时的2倍。美国的人均鱼类消费量几乎维持不变，但鱼类总消费量仍然由于人口增长有显著增长，更何况，我们喂养的其他动物也会吃鱼类制品。

如果有人认为这些增长的数字反映了鱼类数量的增加，那一定是错觉。真相恰恰相反。全球鱼类数量在急剧减少，1950年以来，倒闭的渔场数量稳步上升[1]。

这难道不是悖论吗？鱼类种群规模急剧下降的同时，人类怎么还能有更多的鱼吃呢？"如果有人认为有限环境（比如海洋）能够产生无限增长，那这个人不是疯子就是经济学家。"英国生物学家、电视节目主持人大卫·阿滕伯勒嘲讽道。这就不得不说到谢普斯通预测中没有考虑到的另一个趋势：技术的不断进步。技术改变了商业捕鱼。今天的渔船能够利用声呐、卫星导航系统、深度探测器和精细的海床地图跟踪鱼群。有些捕鱼者使用了探鱼飞机，有些使用了直升机。耐用、轻巧的合成纤维制成的长达几千米的渔网被撒进海中。长达1.6千米，深达220多米的围网能够困住靠近海岸的沙丁鱼、鲱鱼和金枪鱼，然后被从底部拉起（形成袋状），拖到船上。延绳捕鱼使用的延绳上有2500多个鱼钩，有些延绳长度超过100千米，能伸入水下不同深度的区域，或者系上重物沉入800米深的海

---

(1) 原注：这是因为政府对商业捕捞的补贴力度增大，全球范围内每年的补贴金额高达350亿美元。

底。人们还能用巨大的绞盘把猎物拖上甲板。

最具摧毁性且不分青红皂白的捕鱼方法是底拖作业。拖网渔船就像后面带着一张用来装猎物的大网的割草机。渔网上面有很重的金属滚轴，能够在 800 ~ 1600 米深的海床上拖行，把沿途所有东西一网打尽。一百年来在海底长成的各种生物 —— 比如珊瑚、海绵、海扇等 —— 为鱼类提供了至关重要的栖息地，但一张拖网扫过就会遭到严重破坏甚至被彻底摧毁。各种生长阶段、不同大小的鱼类、水草、海葵、海星和蟹都被打捞上岸或被彻底破坏。美国著名海洋学家、TED 奖得主西尔维娅·厄尔把底拖作业比作"用推土机抓蜂鸟"。

与其说渔船本身是船，倒不如说是能够冷藏鱼类或把它们做成罐头的海上加工厂。如果渔船装满了，人们就会把捕获的海产品转移到收集船上，避免返回港口浪费时间。他们一次出海会持续几周甚至几个月。世界各地的海上有无数这样的加工船在穿梭，100 吨以上的加工船有 23000 多艘。

现代商业捕捞就像用手抓苹果而不是用嘴咬苹果。鱼类毫无逃生可能。今天，决定人类能够捕多少鱼的不再是人类的捕鱼能力，而是还剩多少可捕的鱼。

养殖

替代野生鱼类捕捞的方法是人工养殖。养鱼是全球增长最快的动物性食物生产产业，它占全球鱼类产量的比例从 1970 年的 5% 增长到了今天的 40%。[1] 水产养殖的原则跟工业化养殖陆地动物一

---

(1) 原注：如今，水产养殖和商业捕捞在海产品总产量中平分秋色，但由于鱼类产量只占水产养殖的一半（单是海草产量就占了水产养殖产量的四分之一），水产养殖的鱼产量仅相当于商业捕捞的 40%。

样。鱼类生活在高密度环境中，使用营养丰富的配方，从而获得最快的生长速度，然后被屠宰加工，供人类食用。养殖鱼类没有生活在板条箱或格子笼里，而是被困在海水或淡水的围网中，或者陆地上的水箱及池塘里。在鳟鱼养殖场中，鱼类的密度极高，相当于一个浴缸中生活着 27 条 30 厘米长的鳟鱼。

乍看之下，水产养殖似乎就是野生鱼类的救星。但事实很复杂。自相矛盾的是，工业化养殖的鱼类产量并没有缓解野生鱼类数量的下降，因为用来饲养养殖鱼类的主要食物就是鱼类本身。人类偏好肉食性鱼类，这些鱼的天然食物就是更小的鱼。大多数"饵料鱼"都是从海里捕捞来的（比如鳀鱼或鲱鱼），它们不是给人吃的，而是给养殖鱼、猪和鸡吃的。全球超过一半的鱼油产量用于饲养人工养殖的鲑鱼，87% 的鱼油用于水产养殖。到底需要多少鱼才能满足另一种鱼类形成市场呢？每种鱼都不相同。2000 年的一份分析报告显示，2 ~ 5 千克"饵料鱼"才能产出 1 千克鲑鱼、海鲈鱼、蓝鳍金枪鱼等肉食性鱼类。由于饵料鱼的体形较小，所需数量非常庞大。

在所有饵料鱼中，有一种可能你没有见过、没有听过也没有吃过的默默无闻的鱼。鲱鱼（menhaden，实际上指四种商业鱼类）是一类看上去并不特别的鱼，它们生活在大西洋和太平洋中，体长约 30 厘米，身体为典型的椭圆形，尾鳍分叉，鳞片颜色亮丽，这种滤食性鱼非常适合放在插图辞典里的"鱼"这个词条下当图示。人类捕捞的鲱鱼数量庞大，以至于 H. 布鲁斯·富兰克林把它们称为"海洋中最重要的鱼类"，并以此作为书名。2012 年 12 月，大西洋州海洋渔业委员会规定 2013 年大西洋油鲱的捕捞上限下降 25%，共计 3 亿条。也就是说，之前这一地区捕捞的大西洋油鲱数量为每年 12 亿条。

全球鱼类捕捞量的三分之一都不会成为人类的食物，鲱鱼也一样。其英文名"menhaden"来源于美洲原住民单词，意为"肥料"。鲱鱼的商业用途包括生产鱼油、鱼干、鱼粉等。鲱鱼死后经过干燥、压缩，就能生产出鲱鱼油，用来制造化妆品、油毡、健康膳食补充剂、润滑油、人造黄油、肥皂、杀虫剂和油漆等。大多数鲱鱼粉——鲱鱼尸体晾干后磨成的粉——用来喂养人工饲养的家禽和猪，有些也会被做成宠物食品，饲喂养殖鱼。一家名为欧米伽蛋白的公司，在 2010 年拥有 61 艘经营渔船、32 架探鱼飞机以及 5 个生产设施，全部用来捕捞及加工鲱鱼，并从中获取利润。

当野生鱼类用来喂养养殖鱼的时候，养殖鱼也成了海虱的盘中餐。海虱是附着在鱼类和其他海洋生物身上、以其活体组织为食的桡足类寄生虫的总称。在野外，海虱并不构成威胁。但在人工养殖的高密度环境中，寄主就在几厘米外，海虱能够旺盛地繁殖。当海虱靠鱼类黏液大快朵颐的时候，鱼类的肉和眼睛也逃不过它们的糟蹋，海虱的天堂就是饲养鱼的地狱。鱼类养殖产业中，10% ~ 30% 的养殖鱼死亡率都是可接受的正常范围。

把鱼类关在海洋监狱里的渔网并不能阻止这种猖獗的寄生虫扩散。雌性海虱在存活的 7 个月时间里能产下约 22000 个卵，这些卵就像云团一样扩散到周围数千米的水域中，生活在其中的野生鱼类都会遭到荼毒。造成加拿大西海岸野生细鳞大麻哈鱼大规模死亡，且数量下降 80% 的正是海虱。这种扩散效应还影响到了以鲑鱼为食的野生动物，比如熊、雕、虎鲸等。

鱼类养殖场拥挤的环境还产生了其他问题。其中就包括病毒和细菌疾病，比如传染性胰腺坏死（IPN）、病毒性出血败血症（VHS）和流行性造血器官坏死病（EHN）等。用于治疗疾病的有毒化学物质和高浓度鱼类粪便，都会污染周围的水域，影响到原本生活在这里的鱼类和它们的栖息地。尼加拉瓜湖中的一个罗非鱼——美国最受欢迎的肉鱼——养殖场造成的"威力"相当于 3700 万只鸡的粪便被排放其中。因海豹或暴风雨破坏，很多人工养殖的鱼都会从渔网中逃脱，这也导致了野生种群的遗传生存力下降。

跟野生鱼类相比，人工养殖的鱼不仅生育能力差，智力也差。大脑和肌肉都需要使用才能正常发育，而自由生活的鱼必须学会寻找猎物、识别并捕获猎物，但养殖鱼缺少刺激的生活，阻碍了其脑部的发育。把孵化不久的养殖鱼放到野外一段时间后重新捕获，就会发现它们的胃里要么空空如也，要么满是没有生命的物体，比如漂浮的杂物或是看上去像饲料的石头。也难怪，幼鱼完全没有机会学习如何在野外生存。只要用些明智的养殖训练方法，这个问题就有可能得到解决。考虑到鱼类具有观察学习能力，鱼类行为学家克伦·布朗和凯文·莱兰用另一条鱼捕食活体食物的录像，教会了人工孵化养殖的鲑鱼自行捕猎。但是，训练大量高密度的人工养殖鱼类，在经济成本和操作可行性上都值得怀疑。

拜访研究机构

为了获取鱼类养殖的一手信息，我拜访了美国淡水研究所，这是一家坐落于西弗吉尼亚州谢泼兹敦附近的波托马克河流域树林中的水产养殖研究机构。接待我的是克里斯·古德，一个高挑、和蔼，三十五六岁的男子。他在加拿大安大略兽医学院获得了兽医学博士学位后就职于淡水研究所，主要研究鱼类传染病。

淡水研究所的目标是通过各种途径提高水产养殖的可持续性，其中包括研究提高养殖鱼的生存条件。这里的养殖规模比典型的商业鱼类养殖场小。克里斯带我参观了主仓库，里面有十几个圆柱状的，类似于啤酒厂酿酒罐的鱼缸。仓库中机械和水泵的噪声很大，为了听清对方的话，我们不得不大声呼喊。最大的鱼缸（直径9米、深2.6米）中有4000 ~ 5000条30厘米长的14个月大的小鲑鱼。

从观察窗往里看，可以看到一层一层绿褐色的鱼自在地沿着没有尽头的圆圈游动，一块块的银色鳞片在昏暗的光线下闪闪发亮。

自动喂食器会根据预先设定好的喂食方案，每隔一两个小时向鱼缸中撒饲料球。一袋一袋的鱼食靠墙堆在仓库里。鱼食的成分非常复杂，包括家禽油、鱼油、植物油以及小麦蛋白。成分表上并没有标是什么鱼的油，但其中肯定含有鲱鱼油。克里斯打开一袋鱼食，里面装着小小的深红色饲料球，每个小球直径约 5 毫米，看上去就像猫粮。鱼食的密度跟放硬了的全麦饼干差不多，除了一点点油味和盐味外，其他什么味道都没有。

我们还去看了装了数百条只有几厘米长的鲑鱼幼鱼的小鱼缸，讨论了颌骨畸形、痢疾、研究规范以及鱼类的优势阶层。我们的参观在一栋建筑前画上了句号，这里是鱼被宰杀的地方。在研究所里，人们会连续 7 天不给计划宰杀的鱼类喂食，目的是去除鱼肉的"异味"，即养殖系统中鱼类肌肉组织积累的某种会破坏鱼肉味道的物质。克里斯告诉我，有些用于产卵的种鱼会饿七八个月，因为人们认为这样能够提高卵的质量，而他认为这从人道角度讲简直骇人听闻。克里斯还给我看了运送鲑鱼去屠宰场的容器。这种 2.4 米长的不锈钢容器，一端是直角，操作一端的中央收窄形成漏斗状。漏斗上面装了一个气动装置，鲑鱼游过漏斗时，这个装置会向鱼的头部鼓风，同时两侧会伸出锋利的刀片把鱼鳃切开让鱼失血而亡。据克里斯说，这个装置的效率特别高。有时候鱼进入漏斗时的朝向不对或者头部向下时，装置就没办法把鱼杀死，不过屠宰器溢水槽旁边的工人就会用手持棒重击鱼头。不过他特别提醒，设备的屠宰速度很慢，能保证屠宰操作顺利进行，而在大型工业屠宰场，情况就不一样了。

为了美味的死亡

　　商业鱼类电击装置是普遍使用的"杀鱼工具"，但人类食用的大部分鱼都不是这样死的。在海上，单次围网捕捞能捕获 50 万条鲱鱼，哪怕是智利竹荚鱼这种较大的鱼类，也可以捕获 10 万条。渔网在被收紧拉出水面拖上船的过程中，鱼要承受数千条同类的挤压。有时候人们会在网上放一个潜水泵，像吸尘器一样把鱼吸上来，然后把它们暂存在脱水箱中，存在甲板下面。经过这些过程后仍然活着的鱼，最终很可能会死于缺氧，为了获取空气中的氧气，它们的鳃盖一张一翕，但也终究是徒劳。

　　如果你是一条被延绳鱼钩钩住的鱼，就会连续几小时甚至几天忍受被刺穿的痛苦，之后才会被拖一两千米的距离，到达甲板。如果这时候你还没死，窒息通常会要了你的命。你可能还会被捕食者啃咬，毫无疑问，这种情况下你是没办法逃跑的。

　　深海鱼被捕捞上来时会面临另一种危险：减压。压力下降会严重破坏鱼类的身体，因为它们用来控制浮力的充满空气的鱼鳔会在上升过程中扩张。鱼鳔膨胀会挤压临近的器官，造成器官塌陷和衰竭。1964 年到 2011 年间，有十几种关于经济鱼类或垂钓鱼类因为水压下降造成致命或亚致命伤的公开记录。记录列表会让人有些不适，其中包括食道外翻（食道内部翻出口腔外）、眼球外凸（眼球从眼眶中凸出来）、动脉栓塞（由于气泡阻塞导致血流突然停止）、肾栓塞、大出血、器官扭转、鱼鳔周围器官受损或异位以及泄殖腔脱垂——相当于人类直肠外翻露出体外。

　　人工养殖的鱼不必死于减压、挤压或鱼钩造成的伤害，但并不意味着它们运气好。2002 年，一篇关于鱼类死亡的综述论文中指出，鱼类失血过多死亡（通常是用锋利的刀切开鱼鳃造成的）、被去除头部、用盐水或氨水淹死（1999 年，这种宰杀鳗鱼的方法因为不人道在德国被禁止使用）以及电死，都会让鱼承受巨大的痛苦。窒息、冰上窒息、二氧化碳麻醉、缺氧水浴这些方法造成的痛苦会相对小一些，但仍然会感到疼痛。其中一部分方法会让鱼类在丧失感觉前失去行动能力，让人产生痛苦已经停止的错觉。冰上处死对鱼类来说最不友好，因为其窒息的过程变长了。室温下，成年鲑鱼 2 分半钟就会失去意识，11 分钟就会彻底丧失运动能力，而临近冰点时，这两项的时长分别需要 9 分钟以上以及 3 小时以上。

附带伤害

如果说处死养殖鱼和处死野生鱼类一样残忍，至少鱼类养殖者知道自己杀掉的是什么鱼。在野外，渔民不能只捕捞他们要捕捞的鱼，渔网和鱼钩可没长眼睛。捕捞目标鱼类过程中意外捕获不需要的鱼和其他动物的行为叫作"兼捕"，这些不需要的渔获物被称作"副渔获物"。商业捕鱼过程中，副渔获物包括全部 7 种海龟，包括信天翁、大鲣鸟、海鸥、刀嘴海雀和海燕在内的十几种海鸟，几乎所有海豚和鲸，不计其数的无脊椎动物，活珊瑚，还有大量不同的鱼。因为并不是捕捞目标，它们一般都会被丢弃。

兼捕现象是极为普遍的。人们究竟会把多少种海洋生物当作不需要的废物丢回去尚无定论，但不管结果怎样，都是让人大跌眼镜的。试着去想象重达 9000 万千克的海洋生物堆成山，其中大部分都已死去，剩下的也难逃厄运。而这只是人类一天当中从海洋中攫取的副渔获物的数量。

联合国粮农组织渔业和水产养殖部的数据表明，全球每年的副渔获物率有所下降，从 20 世纪 80 年代的 2900 万吨下降到了 2001 年的 700 万吨。副渔获物的减少可能要归功于选择性更强的渔猎设备和旨在减少副渔获物的改进条例。但这种趋势具有迷惑性。1994年到2005年的数字下降，看上去表明副渔获物数量减少，但因为计算方法有很大差异，这两个数字并没有可比性。而且，随着目标物种数量的减少，渔民会把过去要扔下海的东西留在船上。价值较低的生物之前被当作垃圾丢弃，如今却被留下来，作为人类或动物的食物。因此，4名野生动物专家联合世界野生动物基金组织共同提出扩充"兼捕"的定义，将"无管理"的捕捞行为，即留下没有合适处理方案的非目标生物的行为也囊括进来。根据这一定义，目前副渔获物占全球渔获数量的40%。

有些渔场的浪费尤其严重。副渔获物比例最高（或者兼捕现象最严重）的是捕虾渔场。由于虾生活在海底，想要抓住它们，需要用到我们之前提过的拖网。美国东南捕虾渔场中，不需要的鱼和虾的重量比一般是1∶1到3∶1。总的来说，美国捕虾拖网船的副渔获物中包括105种不同的鱼。

兼捕现象还有一个躲在暗处的近亲：幽灵渔网。捕鱼船队每年会丢弃（或遗失）数不清的合成纤维流网和铺在海底的刺网。世界动物保护组织的分析报告显示，每年被丢弃（或遗失）的设备总计多达640000吨。这些看不见的威胁漂荡在人类的贪婪之外，却在继续纠缠动物。主要的受害者包括海豚、海豹、海鸟和海龟，它们成了其他海洋生物的诱饵，致使其中一些也因此掉入陷阱，直至最终因重量增加而沉入海底。

针对兼捕和幽灵渔网之害，人们努力改善且已经取得了一些进展。1972年通过的《海洋哺乳动物保护法案》使美国因捕捞金枪鱼导致的海豚死亡数量从每年50万下降到2万。采取进一步措施后，海豚死亡数量于20世纪90年代中叶下降到每年3000只。但海豚的种群数量仍然没有恢复，而这仅仅是渔业的一个方面。从全球来看，每年因被渔网缠住而死去的小型鲸、海豚和鼠海豚的总数仍然为约 30 万，可以说渔网是小型鲸类的头号杀手。

海鸟面临的境地也是如此。拖网渔船上挂满诱饵的延绳钓线和叫作绞船索的有电线每年都会杀死约 10 万只信天翁和海燕。英国一个名为信天翁特别小组的慈善机构于 2008 年在南非海域进行了初步试验，证明只需要在钓线和电线上系上随风摆动，起到类似稻草人作用的粉红色布条（每艘船成本约 22 美元），就可以让鸟类死亡数量减少 85%。在保护远洋海鸟的多边协议下，这种简单的驱鸟措施如今已经在全行业内推广使用。即便如此，信天翁仍然面临巨大的生存挑战，22 个物种中有 17 种属于易危物种、濒危物种或极危物种，其余 5 种被国际自然保护联盟归为"近危物种"。

约瑟夫·斯大林曾说："一个人的死亡是一场悲剧，而一百万人的死亡不过是一项统计数据。"[1]面对沦为海洋捕捞受害者的大量动物，人们也仅仅是努力让自己产生同情。但是如果人类和海豚、信天翁以及被拖出水面死掉的不知名的鱼中的任何一个个体产生过互动，都会把它们看作独立的个体，活生生的个体，而不是冷冰冰的物件。

割鳍

海洋中还有其他糟蹋生命的方式，比如割鲨鱼鳍。人们捕获鲨鱼后，会把它们的鱼鳍、尾巴割下来制成鱼翅羹，在中国和亚洲其他地区，这种食物被视为珍馐美味。

割鲨鱼鳍是残忍但能获取暴利的产业。在光滑的渔船甲板上处理长着锋利牙齿的大型强壮动物有一定的危险，而要杀死它们，只

---

(1) 这一句子的原出处暂不可考，人们普遍认为出自斯大林之口。

会增加风险系数。因此，考虑到"速度"和"效率"的渔业工作者，会先割下鱼鳍，然后把仍然活着的鲨鱼（被称作"木头"）抛下船，任由它们因失血过多、窒息或缓缓沉入大海而导致的水压变化而死。

华盛顿国际人道协会的工作人员艾里斯·何，是致力于终结鲨鱼鳍贸易的成员之一。他在中国台湾长大，在从事动物保护工作之前，曾近距离接触过鱼翅羹。数百年来，鲨鱼翅大多是专供帝王享用的罕见奢侈品，直到 20 世纪 60 年代，捕鲨技术的进步才让更多消费者能够享用鱼翅。到 2011 年时，为了获取鲨鱼翅，人类每年会屠杀 2600 万～ 7300 万条鲨鱼。

信息借助互联网快速传播，呼吁保护动物、捍卫海洋权利的声浪也越来越大，在这样的时代中，彻底结束割鲨鱼鳍已经成为热点事件。慈善组织野生救援协会曾发起一项活动，成龙、大卫·贝克汉姆和篮球明星姚明等都参与其中。在中国颇受人尊敬的姚明出现在公益广告中，拒绝食用餐厅端出来的鱼翅羹，并呼吁其他人也加入到拒绝鱼翅的行列中。国际人道协会重点发起社区活动，势头也很好。不少中国学生也为了提高全民意识而奔走呼号。中国某大型城市的沃尔玛超市在店内播放鲨鱼电影，并赞助了"拒绝鱼翅"的宣誓活动。中国政府也颁布了禁止正式宴会中出现鱼翅的规定。

这些活动都在起到积极的作用。野生救援协会发布的报告显示，过去 3 年中，接受调查的中国消费者拒绝食用鱼翅羹的比例为85%。2014 年底，作为取代了香港成为中国鱼翅交易中心的广东省的鱼翅销量下降了 82%，零售和批发价格在 2 年中分别下降了47% 和 57%。几十个商业航班停止鱼翅运输业务，高端连锁酒店也删除了菜单中的鱼翅菜品。

我们尚不知道鲨鱼能否经受住人类捕猎的考验，但毫无疑问，这是鲨鱼祖先自 4.5 亿年前出现在地球上以来所经受的最严酷的打击。鲨鱼鳍并不是唯一带给它们苦难的来源。2000 年以来，鲨鱼肉交易量增长了 42%，规模达 11.7 万吨。尽管美国已经禁止海上割鲨鱼鳍行为，但 2011 年，鱼翅出口量仍然达到近 38 吨。在人类眼中，鲨鱼是可怕的杀人狂魔，但讽刺的是，鲨鱼杀死人类的数量只是人类杀死鲨鱼数量的五百万分之一。因此，鲨鱼研究者从事禁止捕捞鲨鱼的研究也就不足为奇了。

垂钓

　　商业捕捞、水产养殖、兼捕和割鳍都是为了获取利润而进行的渔猎行为。那么休闲渔业对鱼类有怎样的影响呢？美国渔业及野生动物部认为休闲渔业 —— 垂钓或垂钓比赛 —— 是美国最受欢迎的户外活动之一。2011 年，这项活动共吸引了 3310 万 16 岁及以上的美国人。从全球范围来看，有超过十分之一的人会定期进行垂钓。只要随便翻开一本垂钓杂志（美国目前仍在出版的至少有 30 种），你就会很快意识到这是一桩大生意。2013 年，据美国钓鱼协会的统计，美国的钓鱼爱好者会在垂钓设备、交通、住宿和其他相关支出方面花掉约 460 亿美元。

　　越来越多的人开始认识到商业捕捞的残忍及对环境的破坏，但休闲渔业在人类文化中仍然是一副温和无害的样子。换言之，钓鱼的场景频繁出现在药物和养老社区的广告中，而这些东西跟钓鱼并没有直接关系。

　　垂钓是否真的无害呢？至少鱼类不这样认为。嘴巴被鱼钩刺穿（甚至更严重）并被迫进入易窒息的新环境，这肯定不是人类会选择用来度过闲适午后的方式。如果你曾经试过把倒刺鱼钩从鱼口中取出，就会知道倒刺的存在并不是为了让鱼类的生活更容易。即使小心取出，那根小小的倒刺也会损伤鱼类的面部组织，更不要说把鱼钩强行扯下了。我仍然能记得童年短暂的钓鱼经历中，生疏地取出鱼钩时的阻力，以及鱼钩发出的噼啪声。渔夫发现鱼上钩后会用力拉线，这时鱼面部的哪个地方受伤几乎全看运气。鱼钩造成的眼睛损伤十分普遍，这在多篇研究论文中都有提及。一项针对溪流中的鲑鱼的研究提到，十分之一被钓上岸的鲑鱼都会受到严重的眼部损伤，可能会造成长时间甚至永久性的视觉损伤。

如今，钓鱼爱好者产生了使用无倒刺鱼钩的想法，他们可以直接购买这种鱼钩，或者用一把钳子把普通鱼钩改造成这样。无倒刺鱼钩起源于英国，一个世纪以来，英国人都会将钓到的鱼放生，以此预防垂钓物种在钓鱼活动频繁的水域消失。没有倒刺的鱼钩更容易从鱼嘴中取出来，通常不需要把鱼拉出水面就能完成。

垂钓导致鱼类死亡的原因不只是鱼钩。钓鱼需要控制挣扎的野生动物，而这一过程往往是粗暴的。人手、抄网和摘取鱼钩的工具可能会破坏鳞片周围起保护作用的黏液层，从而导致鱼类感染疾病。抄网会造成不同程度的伤害，从鱼鳍严重破损到失去部分鳞片和黏液，4%～14% 的鱼类会因此死亡。病原体也在周围潜伏。研究人员将 242 条在钓鱼比赛中被捕获的大口黑鲈关在水下笼子中 4 天，发现 76 条皮肤受伤的大口黑鲈中，有 42 条感染了 4 种致命细菌。另外 8% 的鱼在过磅前就死了，还有 25% 在笼子里死掉，总死亡率高达三分之一。这表明，至少有一些感染对鱼类来说是致命的。

有人可能会认为，垂钓不会产生深海商业捕捞过程中水压下降给鱼类造成的伤害。但事实上，有些垂钓捕获的鱼生活在深水区，被拉出水面的过程中，也会因减压受伤。不过，如果这些鱼很快被带有伸缩绳的负重板条箱或商业化的"沉鱼器"放回到深水中，通常还能活下来。

盘中餐

不管是商业捕捞还是休闲垂钓，我们吃的通常都是野生鱼类。因为人类更喜欢体形较大的捕食性鱼类的味道，比如金枪鱼、石斑鱼、剑鱼、鲭鱼等，渔场也往往会养殖这些鱼类。20 世纪，由于人类的关系，捕食性鱼类的总量减少了超过三分之二，这一数字在 20 世纪 70 年代后更是迅速下降。西尔维娅·厄尔这样描述："你在鱼市上能找到的所有鱼都相当于丛林里的动物。它们是海洋里的雕、鸮、狮、虎、雪豹和犀牛。"

金枪鱼恐怕是人类食用野生捕食者的最佳案例了。吃金枪鱼就像在吃老虎，因为两者一样，都是能力超凡的顶级掠食者。和老虎一样，金枪鱼的体形也很大。最大的大西洋蓝鳍金枪鱼的体形甚至会超过老虎，它们体长近 3 米，体重近 680 千克。金枪鱼肌肉紧实，形状像子弹，快速游动时就和伏击中的老虎一样迅速。金枪鱼位于食物链的最顶端，需要大量能量维持正常的身体机能。一条金枪鱼能在 10 天里吃掉与自身体重相当的猎物（主要是鱼类，也包括枪乌贼和一些甲壳纲动物）。不必感谢那些超市货架上码放的咧嘴笑的金枪鱼罐头，大多数商业捕捞的物种都身处困境。大西洋蓝鳍金枪鱼和东方金枪鱼的濒危程度尤其严重，1960 年以来，两个物种的种群规模分别下降了 85% 和 96%。

当一个物种变得稀少时，也就愈加珍贵，作为商品也就更值钱，而这反过来，也会导致其濒临灭绝的困境。今天，一条蓝鳍金枪鱼能卖 100 多万美元，其价格是白银的两倍，这对牟利的渔民来说是巨大的动力。

吃鱼不仅意味着我们在吃野生动物，还意味着我们吃了其他东西。鱼肉是所有食物中污染最严重的。水往低处流，废水会通过食物链最底层进入生物体内，并沿食物链向上通过生物富集作用提高浓度，最终积累在顶级掠食者的组织当中。工业革命后人类发明的125000 种新的化学物质中，有 85000 种都在鱼类体内被发现。有足够证据表明，某些人群——尤其是孕妇、哺乳期妇女和幼儿——应该减少鱼肉食用量，从而降低汞和其他有害化学物质中毒的风险。《如何不死》（*How Not to Die*）一书的作者，也是大受欢迎的网站 NutrilonFacts.orgde 的主办者迈克尔·格雷格医生表示，汞、二噁英、神经毒素、砷、DDT、腐胺、AGE、PCB、PDBE 和处方药物进入人体的主要途径就是食用鱼类。这些污染物会对人类造成各种负面影响，比如智力下降、精子数量减少、抑郁、焦虑、紧张，以及过早发育等。

目前为止，以上这些数据都没有影响到政策或人们的行动。相反，发达国家一直在鼓励居民将脂肪丰富的鱼类摄入量提高 2 ~ 3 倍。事实上，除了有比鱼类更安全的 Ω-3 脂肪酸来源（比如亚麻籽和核桃）以外，这一建议的主要问题在于忽视了即便以目前的鱼类消费量来计算，人类也不可能有吃不完的鱼。

这不仅是环境问题，也是地理问题。对鱼类需求的增长以及渔场的崩溃，迫使美国、日本、欧盟成员等有经济实力的发达国家，从发展中国家进口更多鱼类。这些国家近海渔场的出口压力剥夺了当地居民重要的蛋白质来源，而发达国家的居民却面临营养过剩和缺乏运动造成的健康问题。

厄尔一生中看到了很多鱼类种群规模急剧下降的例子，因此决定不再吃鱼。"问自己这样一个问题，"她说，"对你来说，是吃鱼重要，还是把它们的存在视为更大的目标重要？"

不管捕捞是有心还是无意，人类给海洋生物造成的死亡数量是巨大的。2015 年，世界自然基金会和伦敦动物学会共同进行了一项研究，其结果表明 1970 年到 2012 年间，鱼类数量已经减少了一半。商业捕捞过度的物种种群规模减少了近 75%，其中包括金枪鱼、鲭鱼和鲣鱼等。

谴责商业捕捞行业的残忍和浪费非常容易，但消费者也必须承认自己需要承担一定的责任。在任何建立在供需关系之上的经济体中，需求都是驱动供给引擎的燃料。人类在吃鱼的时候，也助长了渔猎行为。

对鱼来说有没有好消息呢？当然有。过去25年中，人类开始关注涉及动物的道德和生态隐忧——鱼类终于进入了被关注的范围。"如果动物有知觉，就应该考虑道德问题。"2007年，5位研究兽医学、神学和哲学原理的作者在一篇关于鱼类养殖伦理问题的论文中这样说道。已经有明确证据表明鱼类能感觉到痛苦，正因为如此，人类应该手下留情。

后记

> 道德的苍穹无比漫长，但终会偏向正义。
>
> ——马丁·路德·金

知识是有力量的，它能够催生伦理、推动革命，只要看看殖民主义和奴隶制的灭亡，以及女权和民权运动的历史就能得知。随着道德批判逐渐高涨，理性之光也被点亮。被贪婪、狭隘、偏见共同促成的不公正行为在被唤醒的理性面前渐渐枯萎。人的肤色、信仰、性别或其他任何特征，都不足以成为被剥削的理由。

那么附肢数量、是否有鳍这些特征呢？20世纪后半叶，人类开始更多关注动物，出现了一些成熟且有效的动物权利运动。进入21世纪后，这种趋势越来越明显。作为世界上最具影响力的动物保护组织之一，美国人道协会表示，美国自2004年起施行了1000多项动物保护条律，比2000年之前施行的全部动物保护法律的总数还多。1985年，美国仅有3个州将虐待动物判为重罪，到2014年，50个州已经全部确立了同样的法律。2015年7月，一名美国牙医射杀了名为塞西尔的非洲狮，民众一片哗然，这表明人们越来越同情动物的艰难处境。一周内，塞西尔这个名字家喻户晓，"为塞西尔寻求正义"的网上请愿获得了近120万签名。

然而，狮子比狮子鱼的魅力大得多。在我看来，人们对鱼类抱有偏见，主要是因为它们无法做出能够让人类认为它们也有感情的表情。"鱼类永远生活在水中，默默无声、面无表情、没手没脚、双目无神。"乔纳森·萨弗兰·弗尔在《吃动物》（*Eating Animals*）

一书中如是写道。我们努力从它们扁平、呆滞的眼睛中看到茫然之外的东西。鱼类的嘴被刺穿、身体被拖出水面时，人类听不到尖叫也看不到眼泪。它们不会眨眼（常年泡在水中并没有使用眼睑的必要），而这一点也放大了它们没有感觉的错觉。由于难以激发出人类的同情心，我们也就对鱼类的困境视而不见了。

我们无法解释自己为什么缺少同情心，毕竟眼前的这个生物已经离开了自己的生活环境。鱼类暴露在空气中的痛苦尖叫和人被水淹没时的尖叫是一样的。它们生来所有的活动、交流和自我表达都是在水下完成的。很多鱼受伤后确实会发出声音，但这种声音只能在水中传播，人类很少能听到。甚至当人类发现鱼类痛苦的迹象，比如身体弹来弹去、尾巴甩来甩去、为了获得更多氧气而徒劳地让鳃盖一张一合时，如果我们被教育相信这只是它们的反射行为，可能就只是耸耸肩，并不会有丝毫关心。

尽管我们对鱼类认知的了解只是冰山一角，但对鱼类的了解已经比一个世纪前深入了许多。目前已知的鱼类有 30000 多种，其中经过细致研究的只有几百种。你在这本书中读到的鱼可以算是鱼类世界中的名人了。人类研究最深入的鱼是斑马鱼，它是鱼类中的小白鼠，作为研究对象出现在超过 25000 篇已发表的学术论文中，仅 2015 年就有超过 2000 篇（我并不觉得人们应该羡慕它们，因为这些研究很多都不太人道）。人类想探寻这 30000 多种鱼身上的无穷秘密，而斑马鱼则是作为实验对象的理论替代品。

之前的部分着重阐述了人类利用和虐待鱼类的方式。不过人和鱼的关系并不一定总是这样糟糕，随着人类对鱼类的认知逐渐深入，我们会更多关注它们的福利。我在 Ingenta Connect 数据库上，以"鱼类福利"作为关键词搜索，共找到 71 个条目，其中 69 篇论文都发表在 2002 年之后。在创作这本书的几年当中，我收到了许多人的来信，他们都表示热爱鱼类而且永远不会伤害它们。

这些人喜欢鱼，并不是因为它们像人。它们的美丽之处，它们之所以值得尊敬的地方，恰恰是因为它们和人不一样。它们生活在世界上的方式如此多样，让人惊奇又钦佩，同时感到同情。在某些时刻，当盘丽鱼从我手指上咬下死皮时我能感到轻柔的拖拽，或者石斑鱼接近它信任的潜水者寻求抚摸时，我们可以跨越人与鱼之间的鸿沟。

除此以外，为了生存和繁衍，鱼类还会动脑筋想办法。我努力展示出鱼类的意识和认知水平，希望能让人们认识到鱼类并不是我们想的那样。赞赏其他物种精神世界的优秀会夸大智力的重要性，但实际上智力跟精神地位并没有关系。有智力障碍的人也有基本的精神权利。知觉——感觉、忍受痛苦、体验快乐的能力——是伦理道德的基石。这是个体进入道德共同体的标准。

道德进步是好事，而且这件事正在发生。尽管我们仍会在头版上看到一些暴力新闻，但人类社会中暴力事件的发生率已经大大降低了。心理学家史蒂芬·平克在其畅销书《人性中的善良天使》(*The Better Angels of Our Nature*)中，描绘了种种解释这一发展趋势的文明进程，包括民主制度的出现、女权崛起、读写能力的普及、地球村的形成以及理性的发展。如今，新观点几乎可以同时一字不差地传播到地球上的每一个角落。Kickstarter 网站活动为社会进步项目提供了海量资金支持，独立基金会也为新观念的传播做出了贡献。

自从人类发展出法律的概念，动物就一直被视为人类的合法财产。不过这种根植在人类中心意识中的基本认识也在发生转变。2000 年以来，美国至少有 18 个城市的地方法律将动物的法律地位从"财产"更改为"伴侣"。如果你恰好住在这些地方，就会被官方认定为 600 万"动物守护者"之一。2015 年 5 月，纽约最高法院法官为 2 只在纽约州立大学石溪分校中当了多年入侵性实验研究对象的黑猩猩召开了一场听证会，由人类律师为它们遭受的非法囚禁维权。而这种非人类权利项目的律师，也准备为其他动物提起进一步法律诉讼。

借助法律、政策和行动，鱼类开始在道德共同体中占据一席之地。如今，在欧洲部分地区，在空荡荡的鱼缸中养一条孤零零的金鱼已经是非法行为了，因为在自然界中的金鱼，是有几十年寿命的社会性动物。2008 年，瑞士联邦议会通过了一项法案，规定垂钓爱好者需要完成关于更人道的捕鱼方法的课程。荷兰政府明确提出需要改进电击和宰杀鱼类的方式，保护鱼类基金会已经开始游说，将口号转化为行动。2013 年，德国颁布了一项法律，要求所有鱼类在宰杀之前必须失去知觉，垂钓锦标赛中捕获的鱼过磅后放回水中的习惯也被禁止了，米诺鱼也不能用来作为活鱼饵。2010 年，因为方法不够人道，挪威也禁止用二氧化碳让鱼类昏迷。

除了为鱼类立法外，人类也自发有了热情。很多人不仅担心鱼类，也开始喜欢它们。为这本书积累素材时，我收到了真正的鱼类爱好者的信件。华盛顿州斯波坎市的一位大学教授写信说，她渐渐喜欢上了自己从马桶中救起的金鱼。这条名为珍珠的金鱼每天都会向她打招呼，游到水面上吃她手中的食物。珍珠 17 岁去世，她形容自己"仿佛失去了心爱的猫或狗"。佛罗里达州盖恩斯维尔市的一位职业运动员发明了一种游戏，能让自己和一条名为贾斯伯的黄棕盘丽鱼隔着玻璃相互追逐。她告诉我："我会把手伸到水面下一点点，把手弯成碗状，它会身体倒向一侧，游到我的手中躺下，让我抚摸它的身体。"俄勒冈州波特兰市的女商人养了一条 10 岁的阿拉伯鲀，名叫芒果，她这样描述自己的鱼：

它几乎从出生起就跟我在一起（已经 9 年了，而且还在继续），它和我的狗一样，会在我回家时不由自主地摇尾巴，非常喜欢我，爱跟我一起玩。我们经常玩瞪眼比赛，它老是赢。我爱这条鱼，就像我从来没爱过鱼一样。我认识的大部分人都见过芒果，他们也被它迷住了。我确定，芒果已经改变了人们对鱼的看法。

也会有人仅仅为了一条鱼多跑好几千米。我有一位朋友，接到一通匿名电话后就赶到电话里提到的地址，协调营救 3 条在肮脏、恶心的鱼缸中困了 11 年的大锦鲤。她开车两小时，把它们带到一个有着妥善管理的池塘的亚洲餐厅中，如今，它们和同类舒服地生活在一起。

这场营救只是日益增长的对鱼类表达善意的其中一个行为。只要到 YouTube 这个业余摄影师聚集的现代平台上找一找，就能发现很多潜水员会从鲨鱼嘴中取下鱼钩，或者割断前口蝠鲼鱼鳍上缠住的钓线和渔网；海滩拾荒者会拯救搁浅的鱼，人们也会用水桶把鱼从逐渐干涸的河流湖泊的河床上移走。我有一位朋友是鱼类学家，作为一名退休的生物学教授，他厌倦了在教学和采样过程中杀鱼，于是发明了一种便携设备，能够给野外捕获的水生动物拍下影像并原地放生。他的教学摄影水缸开始销售后，拯救了超过一百万条鱼，使得它们免于遭受被甲醛泡着闲置在博物馆架子上的命运。另一位生物学家建立了"鱼类感觉"，这是北美第一个致力于保护水下生物的组织。你可能不知道著名电视剧《鲸鱼大战》中的主角海洋守护者协会也参与了拯救鲑鱼、鳕鱼、蓝鳍金枪鱼、小鳞犬牙南极鱼和鲨鱼的活动。海洋守护者协会的创始人保罗·沃森是个直爽的人，他告诉我："当我看到鲑鱼养殖场的时候，我看到的是奴隶制和对鱼类的不尊重，西海岸原住民把鲑鱼看成海里的水牛……我生命中最有满足感的瞬间之一，是在利比亚海边把一名马耳他偷猎者的渔网割破，让 800 条蓝鳍金枪鱼重获新生。它们从破口冲出来游向四方时，就像良种赛马一样。"

随着理性觉醒和人类与所有生物相互依赖意识的增强，人类正在走向更包容、更文明的时代。尊重人类不同种族的基本原则正逐步延展到之前没有涵盖的其他生物身上。

但目前来说，我们挽救的鱼类数量还远不及我们所杀死的。就在我写这段文字的时候，我听到一条新闻，75000 条被渔网折磨致死的鲱鱼被海水冲上弗吉尼亚州东部的海岸。照片中那些千疮百孔、正在腐烂的鱼，一直延伸到地平线远方，这让我想起这类生物的名字其实和它们的死亡紧密相连，因为"鱼"字只要加上三点水，就变成了捕捉它们的意思。

在这本书的结尾，我想讲一个我第一次看到就热泪盈眶的故事。向我讲述这个故事的女人说，那是她 3 岁时发生的事，她刚刚开始记事。她家里有 3 条小鱼，生活在壁炉架上方的鱼缸里。有人告诉她，这样做是为了让它们远离地面，免得小孩子玩耍、乱爬乱跑时被撞到。大人还教育她要离水远一些，因为人无法在水里呼吸。年幼的她利用对自然法则的有限认知推断，鱼类也不能在水里呼吸。连续几周，她都担心那些在壁炉架上的鱼缸里的鱼会溺水。她认为自己有责任拯救它们。

有一天，她趁一家人要出门的时候，故意磨蹭到最后一个走。所有人都在门外，她踩着几把椅子和旁边的壁橱爬上了壁炉架，开始救援行动。除了要把这些鱼从水汪汪的坟墓中解救出来以外，她没有任何其他计划。她不知道死亡或溺水时是怎样的情景，只知道那一定很痛苦，就像在浴缸里呛了水一样。她用家里捞鱼缸中残渣的小鱼网把鱼捞起来，放在了壁炉架上。大人进来催她赶快出门，于是她就这样离开了。

她并不记得那些鱼的最终命运如何，但从此以后再没见过它们。她常常想起这些鱼，在模糊的记忆中，这些片段栩栩如生。岁月并没有让她失去孩童时对动物的感同身受。直到 40 年后的今天，明明想救那些鱼却最终让它们受尽折磨的事仍然让她感到不安。

这个故事契合了本书中的许多章节主题。不懂事的孩子误以为鱼类和人一样，必须在空气中呼吸才能活命，恰好代表了人类对鱼的无知。她把那 3 条鱼从水中捞出来致使其窒息的行为，代表了它们在人类手中遭受的痛苦（不过她的初衷跟人类将鱼视为食物和消遣对象的想法相去甚远）。她在童年时期和成年后的今天表现出的惊人的同情心提醒我们，当人类意识到问题时，应该用无穷的力量去善待生命。